JN024429

届け先のわからない手紙、
預かります

漂流郵便局

お母さんへ——

久保田沙耶

小学館

漂流郵便局（旧粟島《あわしま》郵便局）は、
瀬戸内海に浮かぶ小さなスクリュー型の島、
粟島のおへその部分にあります。

潮の流れがぶつかり、
日本最古の海員学校が存在したこの島には、
かつてたくさんの物、事、人が流れ着きました。

こちらは、届け先のわからない手紙を受け付ける郵便局です。

「漂流郵便局留め」で寄せられた手紙たちを
「漂流私書箱」に収めることで
いつか所在不明の存在に届くまで、
手紙を漂わせてお預かりします。

過去／現在／未来
もの／こと／ひと
何宛でも受け付けます。

いつかのどこかのだれか宛の手紙が
いつかここにやってくるあなたに流れ着きますように。

漂流郵便局
00.00.0

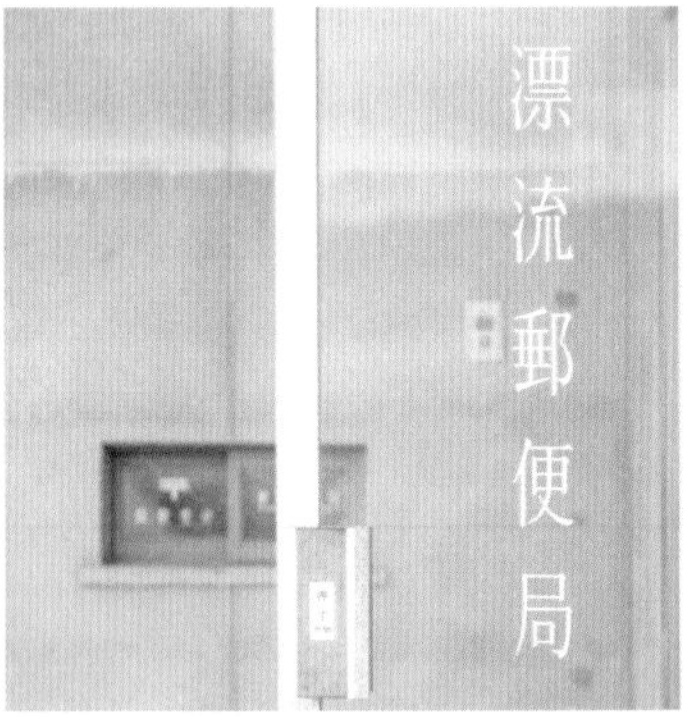
漂流郵便局

漂流郵便局
00.00.00
MISSING POST OFFICE

アーティスト
漂流郵便局　局員
久保田沙耶

漂流郵便局　局長
中田勝久

亡くなった
お母さんへ
いまだったら
言える
たくさんの
ありがとう

漂流郵便局に届いた
第一通目の手紙は、
「お母さん」に
宛てたものでした。

はじめに

ひとのかたち

久保田沙耶

「漂流郵便局の2冊目の本として、お母さん宛の手紙をご紹介するのはどうでしょう?」と担当編集者に提案されたそのとき、頭の中に赤い色がじんわり滲《にじ》んでいくような感覚がありました。あれはいったいなんだったんだろう、とぼんやり考えていたけれど、それが漂流郵便局にはじめて届いた絵はがきのカーネーションの色だったということを思い出したのは、それからかなり時間が経ってからのことです。

漂流郵便局は2013年の瀬戸内国際芸術祭出展のため制作しました。ごく個人的な作品だったのもあって、実際に手紙が届くだなんて想像もしていなかったのが正直なところです。はじめは「届け先のわからない手紙を漂流郵便局気付で受け付けます。ぜひ、いつかのどこかのだれか宛に出してみてください」と告知しただけでした。

開局の2日前、一通目の手紙が届きました。「亡くなったお母さんへ　いまだったら言えるたくさんのありがとう」と書かれ、一輪の赤いカーネーションの絵がそえられていました。予期せず届いた手紙と切実な文字の形につよく心をうたれたのを覚えています。その手紙は、まるでだれのものでもあってだれのものでもないような不思議な存在感をただよわせていました。

２０１３年10月3日に届いたこの手紙は記念すべき漂流郵便局気付の第一通目となり、開局7年目を迎える２０２０年４月現在、約４万通もの手紙をお預かりしています。さまざまな宛先への手紙が増える中、その後も続々と「お母さん宛」の手紙は届きます。

「おかあさん」

あらためて今パソコンに向き合いながら考えています。

このキーボードをうつ手。こんなによくできた形もお母さんの体の中でできたというのだから、やっぱりたいしたものだ。むかし恩師から手についての興味深い話を聞いたことがありました。

わたしたちの手は、はじめひとつの塊だったらしく、出産までに胎内で少しずつ指の間の細胞が死んでいき、やがて手の形に定まるそうです。つまりお母さんの胎内で自分の一部を失うことで、形が出来上がっていったということになります。そして出産後へその緒を切ってわかれ、人はたったひとり、この世に誕生します。

お母さんの体の中でできた手によって書かれた4万通もの手紙の重さを今まざまざと感じています。これらの手紙の言葉はまるで子どもが産声をあげているような、とても自然なことのように思えました。誰もが答えを出せないところにむかって、ただただ書いている。それが漂流郵便局で起こっている出来事なのです。この体がある限り、手紙を書く「わたしが居る」ということそのものが大切なのだと気づかされます。素晴らしく在る、のではなく、在るから素晴らしい、にたちかわる瞬間がこの手紙を書いたひとびとの体温から伝わってくるようです。

母なる大地と呼ばれるように、自然の中にある大きな岩や大木はよくお母さんの胎内に見立てられ祈りの対象になってきました。漂流郵便局で起こっている出来事を「母」という壮大なテーマでふりかえる機会を得て、作者としてただごとではないような思いにひたされています。そんな手紙がひとつの場所に集まり、今この本を通していろいろな人の手元に届くことを大変嬉しく思います。

CONTENTS

はがき紹介

お母さんへ

<おことわり>※漂流郵便局への手紙の著作権は、差出人様から「漂流郵便局」(制作者・久保田沙耶)に譲渡していただいております。※本書では個人情報、プライバシーへの配慮から、個人名、固有名詞等の一部を仮名・伏字に差し替えました。※テキストに起こした文面の冒頭部分は、はがき表面に書かれている宛名を記している場合があります。※誤字や読みづらい表記は( )内に訂正や補足を記しました。※改行は原文のままでない場合があります。※「漂流郵便局」はプロジェクト型のアート作品であり、日本郵便株式会社との関連はありません。

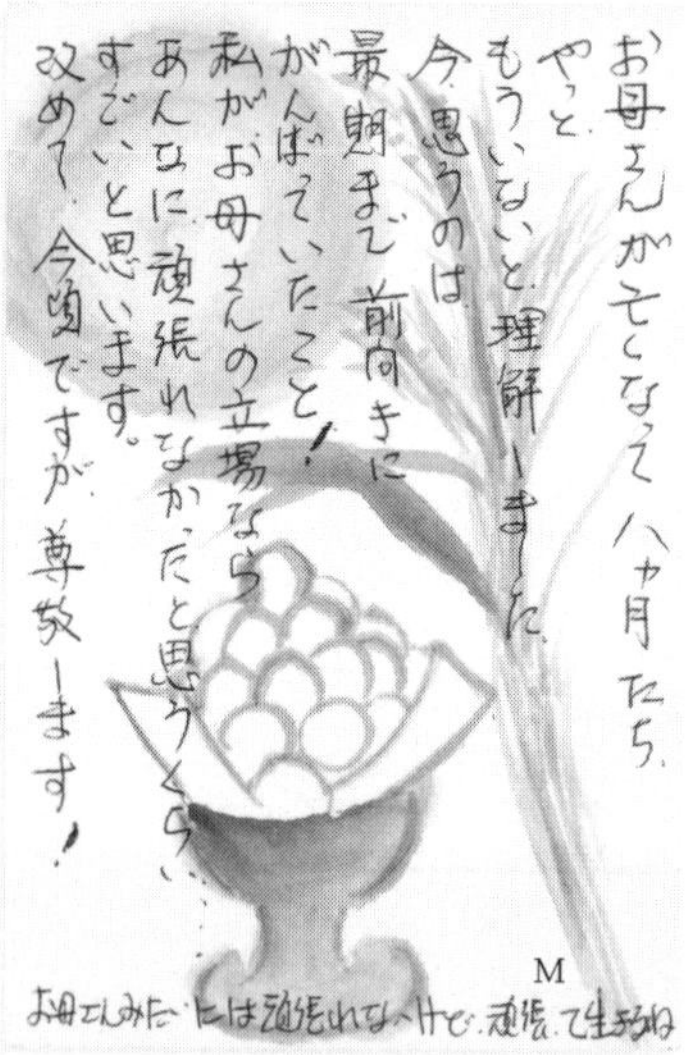

お母さん、誕生日、おめでとう！
そっちは、年とらないのかな？

お母さんが亡くなって八ヵ月たち、
やっと、もういないと、理解しました。
今、思うのは、最期まで前向きに
がんばっていたこと！
私が、お母さんの立場なら
あんなに、頑張れなかったと思うくらい…
すごいと思います。
改めて、今頃ですが、尊敬します！
お母さんみたいには頑張れないけど、
頑張って生きるね

お母さん、そろそろ天国でお父さんと
兄さんに会えましたか？
私には、何も力がないけど、頑張って
生きていくから、みていて下さい。
そして、どうしても迷ったり、つらいときは、
力を借（貸）して下さい。
今までありがとう！
そして、これからも心の支えとして
よろしくお願いします。
…もう少し生きていて欲しかった。
お母さんも「まだ死ねない」って
言ってたけど、人間の力では
どうしようもない事って、あるよね。
いつか会える日まで、頑張るよ！

お母さんへ

お母さん、お久しぶりです。

今でも天国であの独とくな大きな笑い声で笑いながらすごしているのでしょうか?

早いもので、お母さんがなくなってから今年で27年がたちました。私も気づけばあと2週間位でお母さんがなくなった年と同じ48才になります。

私がまだ若かった頃の48才の女性は、「大人でオバさんで、しっかりしてて、料理もできて、その他家事や育児もできる素ばらしい人」って印象でしたが、48才目前の私は、外見はしっかりオバさんだけど今だ(未だ)に独身で頼りなくて中身は子供、1人前とよぶには程遠い人間です。こんな私がこれから毎年歳をとりお母さんの年令を追いこしていくなんて、なんか不思議な感じです。

今回初めてお母さんに手紙書いたのですがこれからは近況報告かねて手紙かこうと思います。私含め頼りないウチの家族をこれからも見守って下さいね

お母さんへ

お母さん、お久しぶりです。
今でも天国であの独とくな大きな笑い声
で笑いながらすごしているのでしょうか？
早いもので、お母さんがなくなってから今年で
27年がたちました。私も気づけばあと
2週間位でお母さんがなくなった年と
同じ48才になります。私がまだ若かった
頃の48才の女性は、「大人でオバさんで、しっか
りしてて、料理もできて、その他家事や育児も
できる素ばらしい人」って印象でしたが、48才
目前の私は、外見はしっかりオバさんだけど
今だに独身で頼りなくて中身は子供。1人前
とよぶには程遠い人間です。こんな私が
これから毎年歳をとりお母さんの年令を追い
こしていくなんて、なんか不思議な感じです。
今回初めてお母さんに手紙書いたのですが
これからは近況報告かねて手紙かこうと思い
ます。私含め頼りないウチの家族をこれからも見守って下さいね

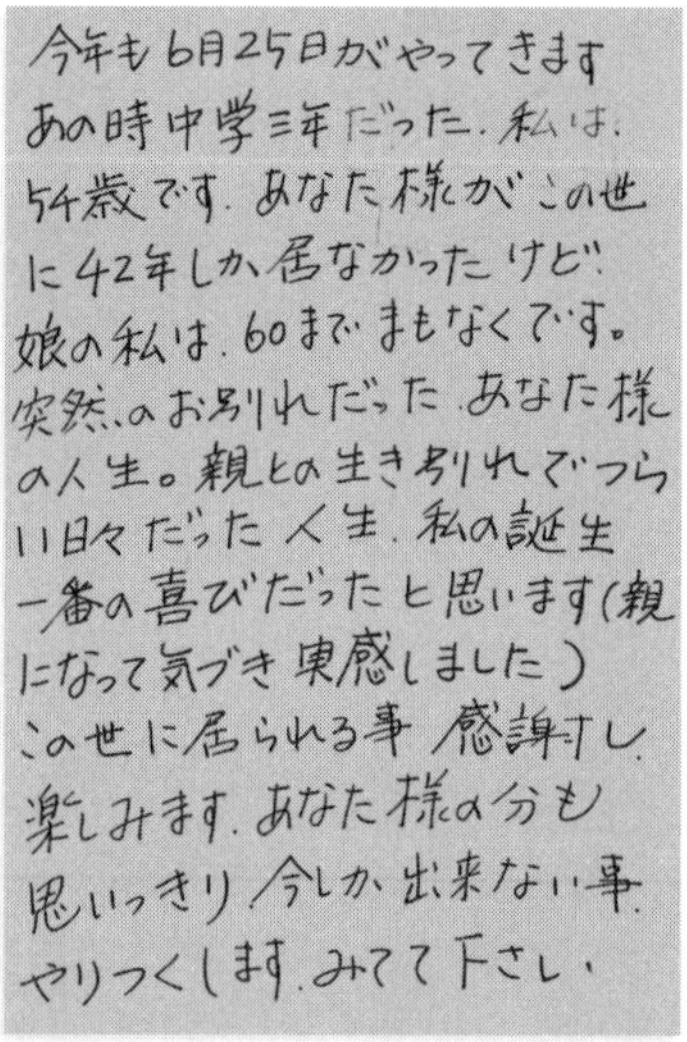
今年も6月25日がやってきます
あの時中学三年だった. 私は.
54歳です. あなた様がこの世
に42年しか居なかったけど.
娘の私は. 60まで まもなくです。
突然.のお別れだった. あなた様
の人生。親との生き別れでつら
い日々だった人生. 私の誕生
一番の喜びだったと思います(親
になって気づき実感しました)
この世に居られる事 感謝し.
楽しみます. あなた様の分も
思いっきり! 今しか出来ない事.
やりつくします. みてて下さい

今年も6月25日がやってきます
あの時中学三年だった、私は、54歳です。
あなた様がこの世に42年しか居なかったけど、
娘の私は、60までまもなくです。
突然のお別れだった、あなた様の人生。
親との生き別れでつらい日々だった人生、
私の誕生一番の喜びだったと思います
（親になって気づき実感しました）
この世に居られる事感謝し、楽しみます。
あなた様の分も思いっきり、
今しか出来ない事、やりつくします。
みてて下さい

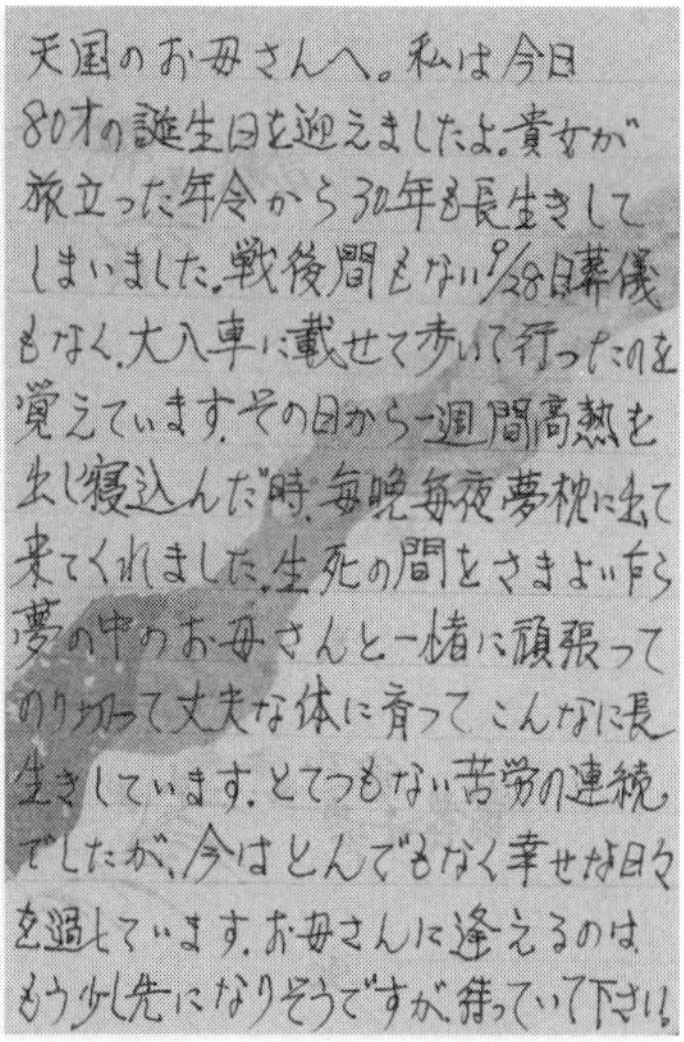

天国のお母さんへ。私は今日
80才の誕生日を迎えましたよ。貴女が
旅立った年令から30年も長生きして
しまいました。戦後間もない9/28日葬儀
もなく、大八車に載せて歩いて行ったのを
覚えています。その日から一週間高熱を
出し寝込んだ時、毎晩毎夜夢枕に出て
来てくれました。生死の間をさまよい乍ら
夢の中のお母さんと一緒に頑張って
のりきって丈夫な体に育って、こんなに長
生きしています。とてつもない苦労の連続
でしたが、今はとんでもなく幸せな日々
を過しています。お母さんに逢えるのは
もう少し先になりそうですが待っていて下さい！

天国のお母さんへ。

私は今日80才の誕生日を迎えましたよ。貴女が旅立った年令から30年も長生きしてしまいました。戦後間もない9／28日葬儀もなく、大八車に載せて歩いて行ったのを覚えています。その日から一週間高熱を出し寝込んだ時、毎晩毎夜夢枕に出て来てくれました。生死の間をさまよい乍《なが》ら夢の中のお母さんと一緒に頑張ってのり切って丈夫な体に育ってこんなに長生きしています。とてつもない苦労の連続でしたが、今はとんでもなく幸せな日々を過(ご)しています。お母さんに逢えるのはもう少し先になりそうですが待っていて下さい。

天国にいる旦那様のお母さんへ

お母さんお誕生日おめでとう。

お母さんがいなくなって早4年がたとうとしてます。4年前、誕生日を迎えた翌日に天国にいってしまい、誕生日のこの日がくると、あの日のことを思い出します。

私は1つどうしても心にひっかかっていることがあります。

お母さんが入院中におばちゃんに結婚のことを聞かれ、まだ結婚にふみきれない私たちは〝まだしない〟と答えたこと。家族の誰より、子供たちの結婚と、孫の誕生を待ち望んでいたのを知っていたのに…。安心させてあげれなかったことがすごくすごく心残りでした。


いつも温かく私のことを迎えいれてくれて感謝してます。本当はもっと、話しもしたかったし、ランチも行きたかったし料理もしたかったし、旦那様の子供の頃の話もたくさん聞きたかった。子供が好きで、料理もお酒も、編み物も旅行もスポーツするのもスポーツを見るのも映画見るのも好きでもっともっと、お母さんって呼びたかった。そんなステキなお母さんになれるかはわかりませんが絶対に幸せな家庭を築いていきます。

また、天国から温かく私たちのこと見守って下さい。今の私の夢は子供3人生むことです！旦那様と同じように3兄弟に

天国にいる旦那様のお母さんへ

お母さん お誕生日おめでとう。
お母さんがいなくなって早4年がたとうとしてます。
4年前、誕生日を迎えた翌日に天国にいってしまい、
誕生日のこの日がくると、あの日のことを思い出します。
私は1つどうしても心にひっかかっていることがあります。
お母さんが入院中におばちゃんに結婚のこと
を聞かれ、まだ結婚にふみきれない私たちは
"まだしない"と答えたこと。
家族の誰より、子供たちの結婚と、孫の誕生を
待ち望んでいたのを知っていたのに…。
安心させてあげれなかったことがすごくすごく
心残りでした。
いつも温かく私のことを迎えいれてくれて感謝して
ます。
本当はもっと、話しもしたかったし、ランチも行きたかったし
料理もしたかったし、旦那様の子供の頃の話も
たくさん聞きたかった。
子供が好きで、料理もお酒も、編み物も旅行も
スポーツするのもスポーツを見るのも映画見るのも好きで
もっともっと、お母さんって呼びたかった。
そんなステキなお母さんになれるかはわかりませんが
絶対に幸せな家庭を築いていきます。
また、天国から温かく私たちのこと見守って下さい。
今の私の夢は子供3人生むことです。旦那様と同じように3兄弟に

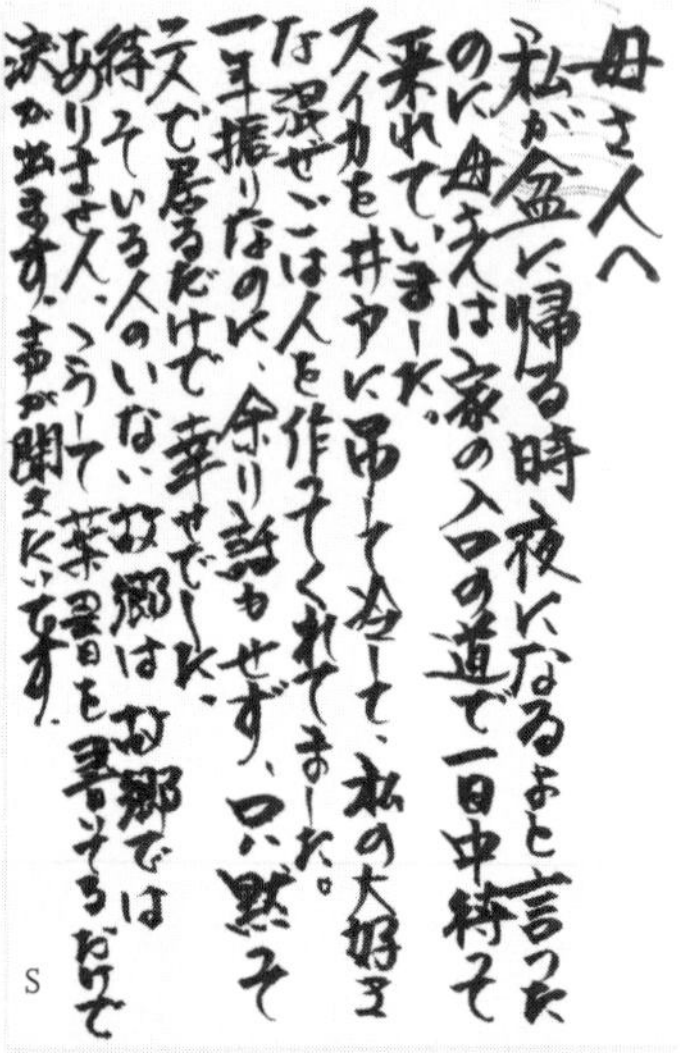
母さんへ
私が盆に帰る時夜になるよと言ったのに母さんは家の入口の道で一日中待って来れていました。

スイカを井戸に吊して冷して、私の大好きな混ぜごはんを作ってくれてました。

一年振りなのに、余り話もせず、只黙って二人で居るだけで幸せでした。

待っている人のいない故郷は故郷ではありません。こうして葉書を書いてるだけで涙が出ます。声が聞きたいです。

S

母さんへ

私が盆に帰る時夜になるよと言ったのに母さんは家の入口の道で一日中待って来（く）れていました。

スイカを井戸に吊（る）して冷（や）して、私の大好きな混ぜごはんを作ってくれてました。

一年振りなのに、余り話もせず、只黙って二人で居るだけで幸せでした。

待っている人のいない故郷は故郷ではありません。こうして葉書を書いてるだけで涙が出ます。声が聞きたいです。　S

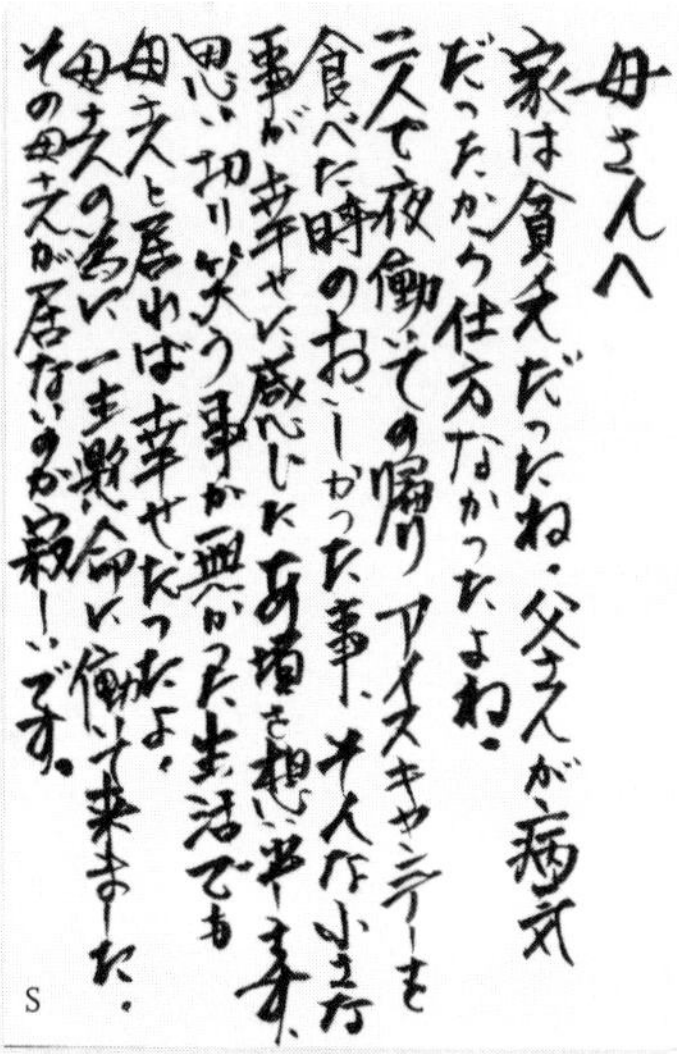
母さんへ
家は貧乏だったね。父さんが病気
だったから仕方なかったよね。
二人で夜働いての帰り アイスキャンデーを
食べた時のおいしかった事、そんな小さな
事が幸せに感じたあ頃を想い出します。
思い切り笑う事が無かった生活でも
母さんと居れば幸せだったよ。
母さんの為に一生懸命に働いて来ました。
その母さんが居ないのが寂しいです。
S

母さんへ

家は貧乏だったね。父さんが病気
だったから仕方なかったよね。
二人で夜働いての帰りアイスキャンデーを
食べた時のおいしかった事、そんな小さな
事が幸せに感じたあ(の)頃を想い出します。
思い切り笑う事が無かった生活でも
母さんと居れば幸せだったよ。
母さんの為に一生懸命に働いて来ました。
その母さんが居ないのが寂しいです。　S

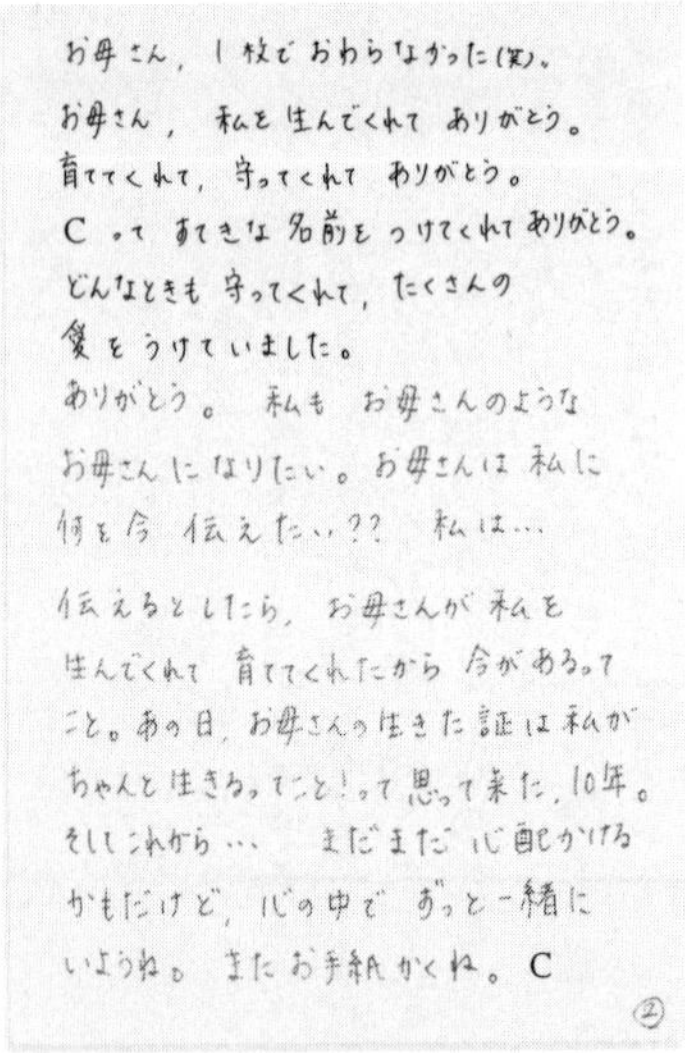
お母さん，1枚でおわらなかった(笑)。
お母さん，私を生んでくれてありがとう。
育ててくれて，守ってくれてありがとう。
Cってすてきな名前をつけてくれてありがとう。
どんなときも守ってくれて，たくさんの
愛をうけていました。
ありがとう。私もお母さんのような
お母さんになりたい。お母さんは私に
何を今伝えたい?? 私は…
伝えるとしたら，お母さんが私を
生んでくれて育ててくれたから今があるって
こと。あの日，お母さんの生きた証は私が
ちゃんと生きるってこと!って思って来た，10年。
そしてこれから… まだまだ心配かける
かもだけど，心の中でずっと一緒に
いようね。またお手紙かくね。C
②

お母さん、1枚でおわらなかった(笑)。
お母さん、私を生んでくれてありがとう。
育ててくれて、守ってくれてありがとう。
Cってすてきな名前を
つけてくれてありがとう。
どんなときも守ってくれて、
たくさんの愛をうけていました。
ありがとう。私もお母さんのようなお母さん
になりたい。お母さんは私に何を今伝えた
い?? 私は…
伝えるとしたら、お母さんが私を生んでくれ
て育ててくれたから今があるってこと。あの
日、お母さんの生きた証は私がちゃんと生き
るってこと！って思って来た、10年。
そしてこれから… まだまだ心配かけるかも
だけど、心の中でずっと一緒にいようね。ま
たお手紙かくね。 C

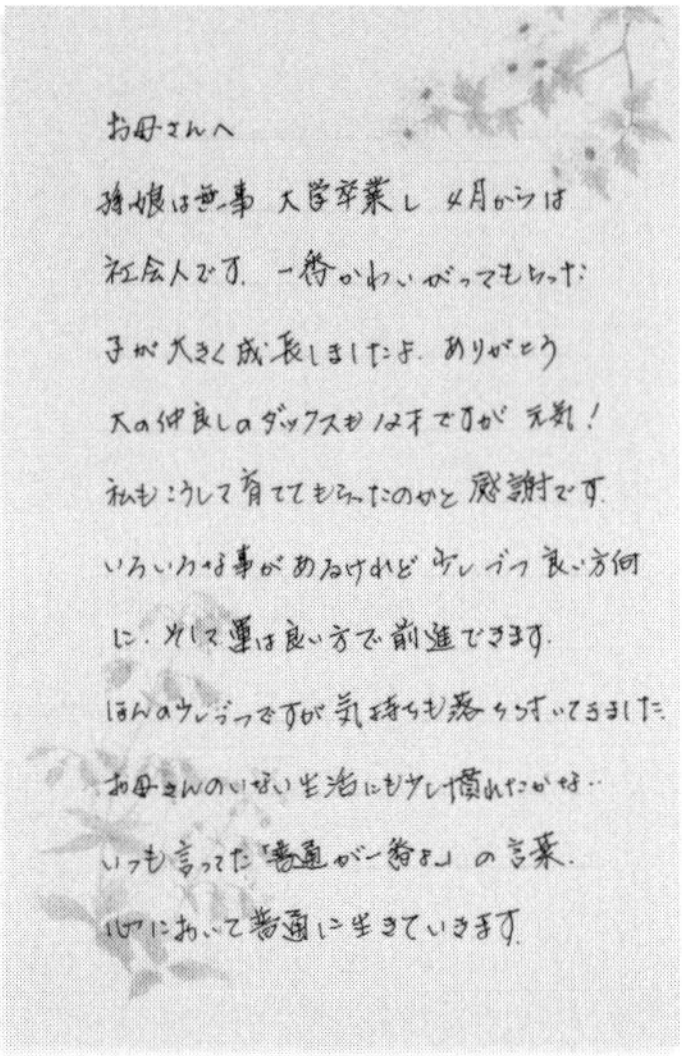

お母さんへ

孫娘は無事大学卒業し4月からは社会人です。一番かわいがってもらった子が大きく成長しましたよ。ありがとう
大の仲良しのダックスも12才ですが元気！

私もこうして育ててもらったのかと感謝です。

いろいろな事があるけれど少しづつ良い方向に、そして運は良い方で前進できます。

ほんの少しづつですが気持ちも落ち付いてきました。

お母さんのいない生活にも少し慣れたかな…

いつも言ってた「普通が一番よ」の言葉、
心において普通に生きていきます。

暦の上では立秋を過ぎましたが、連日の猛暑に一雨ほしいところです。昨年九月四日97才で母は浄土へ旅立ちました。前日に会いいろいろ話をする中で〝あんたには本当に世話になったなあありがとう!〟といつもにない心にこもった言葉が最後となりました。80才前から母は私の誕生日には〝あんたを生んで良かった。あんたが生(ま)れてくれて本当に良かった〟20年近く言ってくれました。私は何かを頂いてありがとうは言うけど、母が元気でいる間に心をこめてありがとうを言ってないことが悔(や)んでなりません。お母さんありがとう。私を生んでくれてありがとう! 私はお母さんの娘で本当に幸せでした。母のように感謝の心を忘れないようにします。お盆が来て母が近くに却(帰)ってくるので私の気持ちを届けたくて筆を執りました そちらの世界も暑いのでしょうネ 水分をしっかり摂って下さい

そしていつまでも私達を見守って下さい

八月十二日　娘　K　68才

暦の上では立秋を過ぎましたが、連日の猛暑に一雨ほしい
ところです。昨年九月四日97才で母は浄土へ旅立ちました。
昔日に会いいろいろ話をする中で、"あんたには本当に世話になったなあ
ありがとう!"と、いつもにない心にこもった言葉が最後となりました。
80才すぎから母は私の誕生日には"あんたを生んで良かった、あんたが
生まれてくれて本当に良かった"と20年近く言ってくれました。私は
何かを頂いてありがとうは言うけど、母が元気でいる間に心をこめて
ありがとうを言えてないことが悔んでなりません、
お母さんありがとう、私を生んでくれてありがとう! 私は
お母さんの娘で本当に幸せでした。母のように、感謝の
心を忘れないようにします お盆が来て母が近くに帰って
くるので私の気持ちを届けたくて筆を執りました そちらの
貴方も暑いのでしょうが水分をしっかり摂って下さい、
そしていつまでも私達を見守って下さい

娘
K

八月十二日

68才

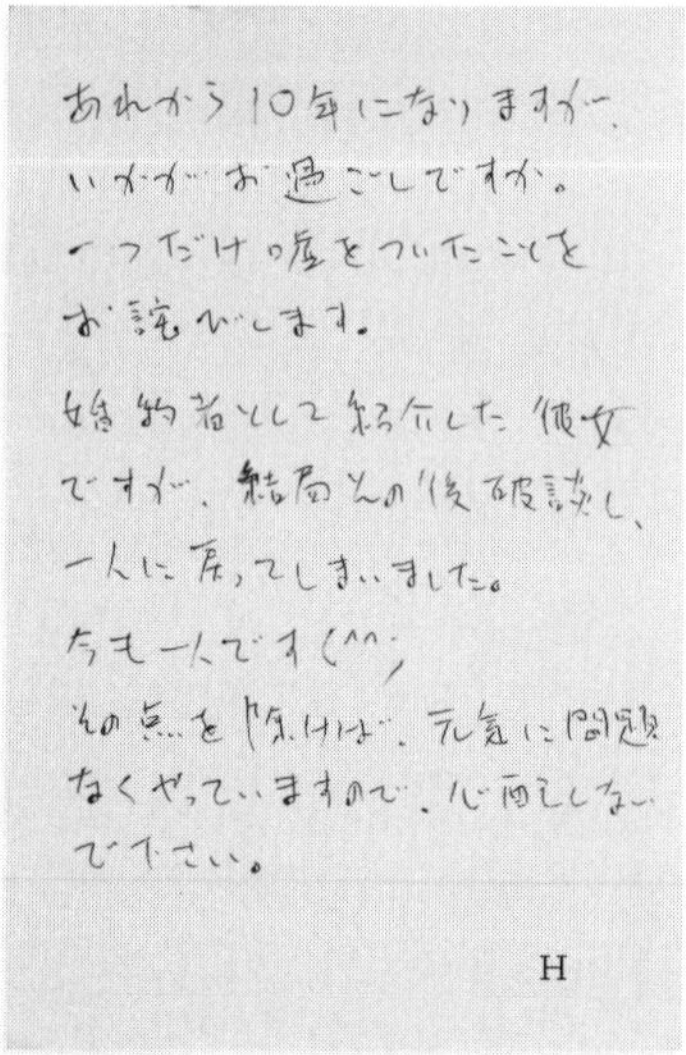
あれから10年になりますが、
いかがお過ごしですか。
一つだけ嘘をついたことを
お詫びします。
婚約者として紹介した彼女
ですが、結局その後破談し、
一人に戻ってしまいました。
今も一人です(^^;
その点を除けば、元気に問題
なくやっていますので、心配しない
で下さい。

H

あれから10年になりますが、
いかがお過ごしですか。
一つだけ嘘をついたことを
お詫びします。
婚約者として紹介した彼女ですが、
結局その後破談し、
一人に戻ってしまいました。
今も一人です(^^;
その点を除けば、元気に問題なく
やっていますので、
心配しないで下さい。

H

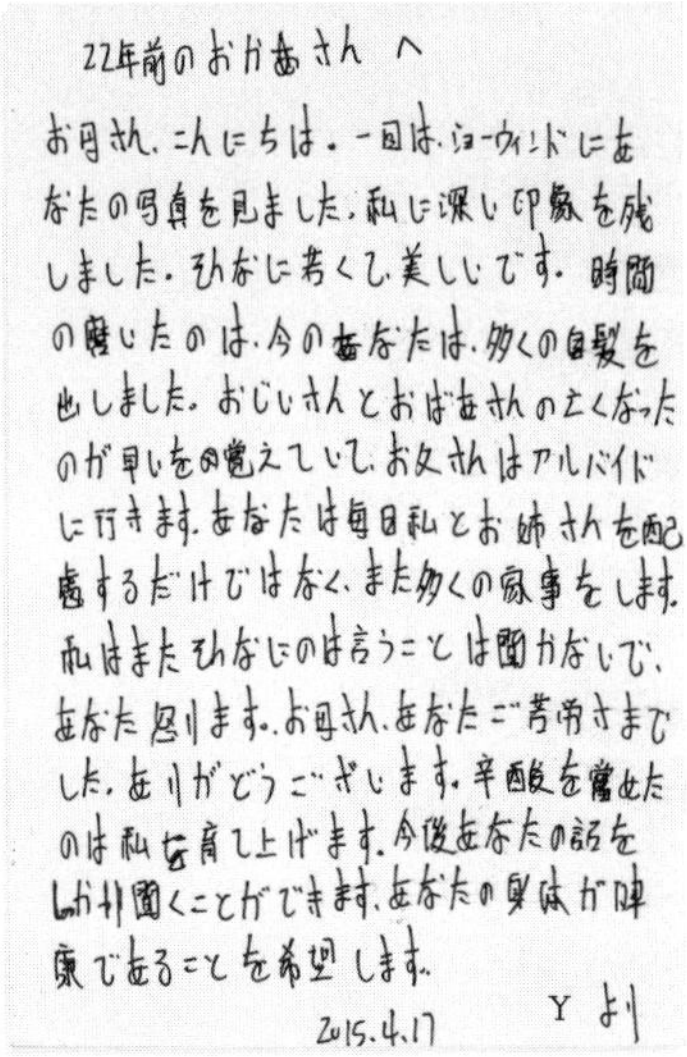
22年前のおかあさん へ

お母さん、こんにちは。一回は、ショーウィンドにあなたの写真を見ました。私に深い印象を残しました。そんなに若くて美しいです。時間の磨いたのは、今のあなたは、多くの白髪を出しました。おじいさんとおばあさんの亡くなったのが早いを覚えていて、お父さんはアルバイドに行きます。あなたは毎日私とお姉さんを配慮するだけではなく、また多くの家事をします。私はまたそんなにのは言うことは聞かないで、あなた怒ります。お母さん、あなたご苦労さまでした。ありがどうございます。辛酸を嘗めたのは私を育て上げます。今後あなたの話をしっかり聞くことができます。あなたの身体が健康であることを希望します。

2015.4.17 Yより

22年前のおかあさんへ

お母さん、こんにちは。一回は、ショーウィンドにあなたの写真を見ました。私に深い印象を残しました。そんなに若くて美しいです。時間の磨いたのは、今のあなたは、多くの白髪を出しました。おじいさんとおばあさんの亡くなったのが早い（の）を覚えていて、お父さんはアルバイド（ト）に行きます。あなたは毎日私とお姉さんを配慮するだけではなく、また多くの家事をします。私はまたそんなに（の）は言うことは聞かないで、あなた怒ります。お母さん、あなたご苦労さまでした。ありがど（と）うございます。辛酸を嘗めたのは私を育て上げます。今後あなたの話をしっかり聞くことができます。あなたの身体が健康であることを希望します。

２０１５・４・17　Yより

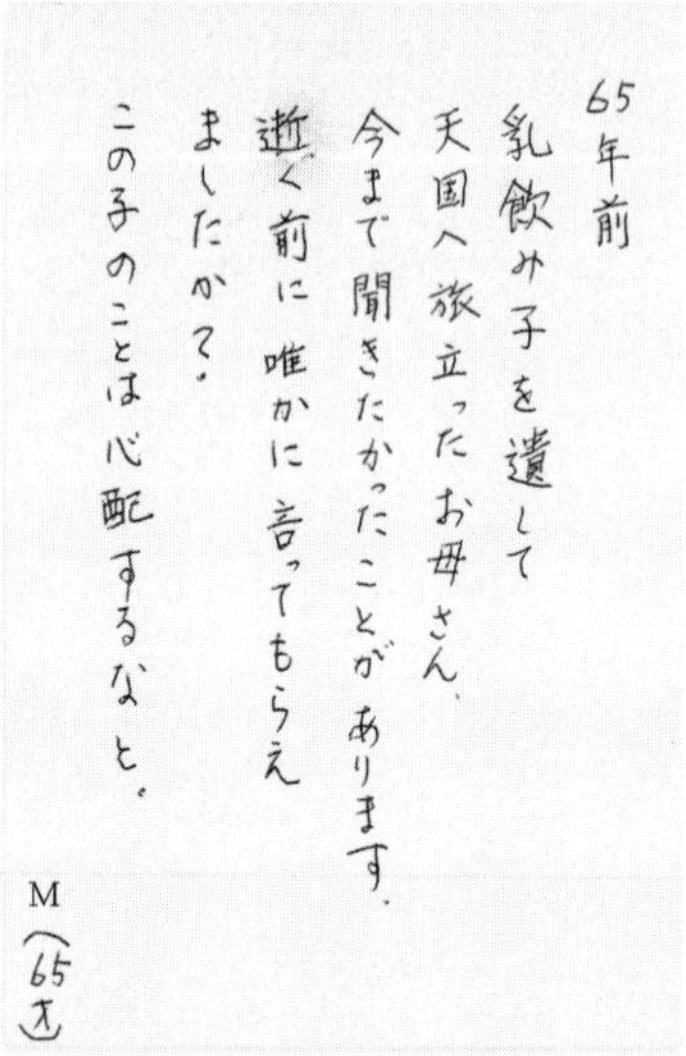
65年前
乳飲み子を遺して
天国へ旅立ったお母さん、
今まで聞きたかったことがあります。
逝く前に唯かに言ってもらえ
ましたか？
この子のことは心配するなと。
M
（65才）

65年前
乳飲み子を遺して
天国へ旅立ったお母さん。
今まで聞きたかったことがあります。
逝く前に唯（誰）かに言ってもらえましたか？
この子のことは心配するなと。

M（65才）

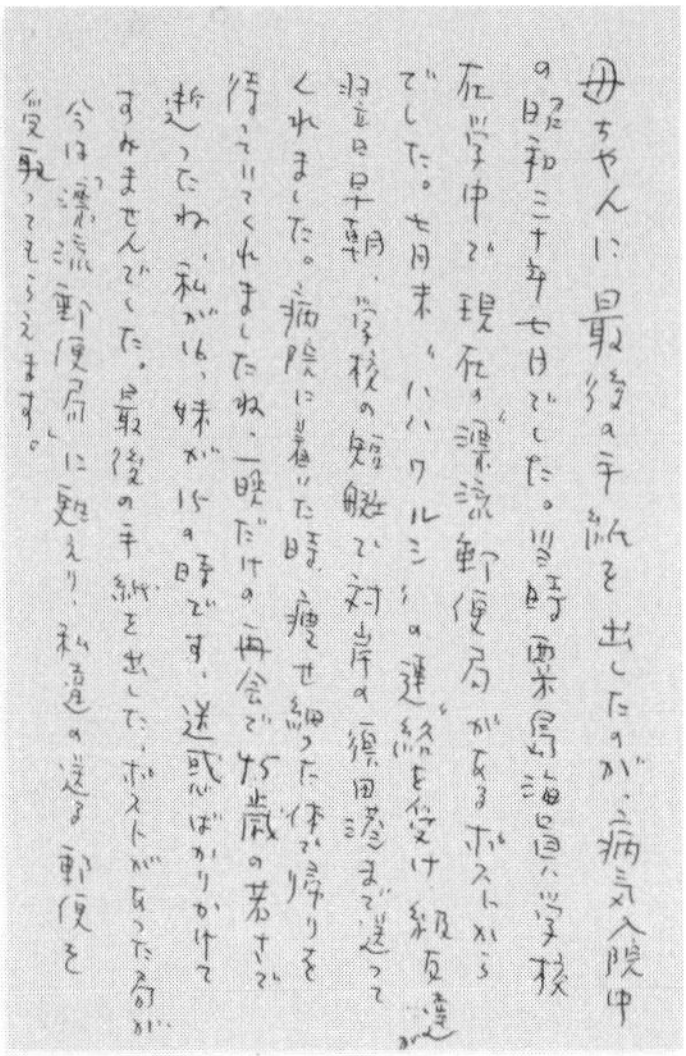

母ちゃんに最後の手紙を出したのが、病気入院中
の昭和三十年七月でした。当時粟島海員学校
在学中で現在の"漂流郵便局"があるポストから
でした。七月末"ハハワルシ"の連絡を受け級友達が
翌日早朝、学校の短艇で対岸の須田港まで送って
くれました。病院に着いた時、痩せ細った体で帰りを
待っていてくれましたね。一晩だけの再会で45歳の若さで
逝ったね。私が16、妹が15の時です。迷惑ばかりかけて
すみませんでした。最後の手紙を出したポストがあった局が
今は"漂流郵便局"に甦えり、私達の送る郵便を
受取ってもらえます。

〃もう一度逢いたい母ちゃんへ〃

母ちゃんに最後の手紙を出したのが、病気入院中の昭和三十年七月でした。当時粟島海員学校在学中で現在の〃漂流郵便局〃があるポストからでした。七月末〃ハハワルシ〃の連絡を受け、級友達が翌日早朝、学校の短艇で対岸の須田港まで送ってくれました。病院に着いた時、痩せ細った体で帰りを待っていてくれましたね。一晩だけの再会で45歳の若さで逝ったね。私が16、妹が15の時です。迷惑ばかりかけてすみませんでした。最後の手紙を出したポストがあった局が今は「漂流郵便局」に甦えり、私達の送る郵便を受取ってもらえます。

女手ひとつで育ててくれたお母さんへ

「漂流郵便局に届いたお母さま宛のはがきを、本の中で紹介させていただけませんか？ 小学館からそんな文書が届いたのは、なんと母の命日。ちょうどお墓参りに出かける矢先でした。何万枚もあるはがきの中から、私のものが選ばれるなんて。これはきっと母からのプレゼント。はがき、ちゃんと読んだよ、という母からの返事かもしれないと思いました」

と語るのは、神奈川県に住む伊佐子さん。

テレビ番組『あさチャン！』で漂流郵便局が紹介されているのを見て、あわてて住所をメモ、家にあったはがきにすぐに書いてポストへ投函したのだとか。

「母が亡くなって32年も経っているうえ、亡くなったときの母の年齢もとっくに追い越していますが、一日たりとも母のことを忘れたことはありません。母ひとり、子ひとりでしたから。母には、伝えたいこと、話したいことが山のようにありました。だから、その想いを一気に書き上げたんです」

Iさんが23歳のとき、48歳という若さで亡くなったお母さまへ宛てたはがきには、感謝の気持ちがストレートに綴られています。

「父が交通事故でなくなったとき、私は1歳半でした。朝、いつものように仕事に出かけた父は、その直後、事故にあったそうです。新婚だった母は25歳。小さい子どもを抱えて、どんなにか不安だったでしょう。でも、母は私に、そんな気配をまったく見せなかった。

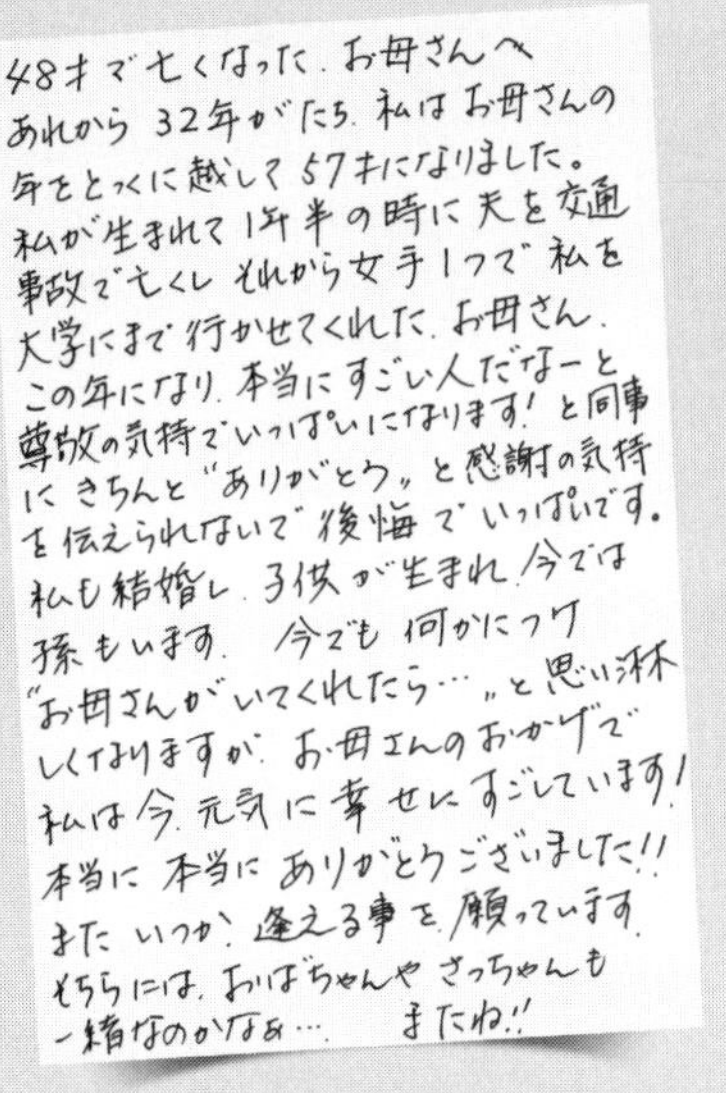
48才で亡くなった お母さんへ
あれから 32年がたち 私はお母さんの
年をとっくに越して57才になりました。
私が生まれて1年半の時に夫を交通
事故で亡くし それから女手1つで私を
大学にまで行かせてくれた お母さん
この年になり 本当にすごい人だなーと
尊敬の気持でいっぱいになります! と同時
に きちんと"ありがとう"と感謝の気持
を伝えられないで後悔でいっぱいです。
私も結婚し 子供が生まれ 今では
孫もいます。 今でも 何かにつケ
"お母さんがいてくれたら…"と思い淋
しくなりますが お母さんのおかげで
私は今 元気に幸せにすごしています!
本当に本当にありがとうございました!!
またいつか 逢える事を願っています。
そちらには おばちゃんや さっちゃんも
一緒なのかなぁ… またね!!

なんの苦労もせず、学校にいかせてもらいました。寂しさや甘えもあって、わがままいってケンカもしました。母は、朝から晩まで働いていたというのに…」

お母さんの想いや苦労を我が身のこととして実感したのは、自分がふたりの娘の親になってからだった、と伊佐子さんはいいます。

「まさか、こんなに早く母が天国に行ってしまうとは思ってもいませんでした。ずっと、面と向かって〝ありがとう〟と伝えられなかったことが引っかかっていたんです。漂流郵便局のおかげで、母の偉大さにあらためて気づき、素直に心の底から〝ありがとう〟を伝えることができました。娘や孫たちと、いつか粟島を訪れてみたいと思っています」

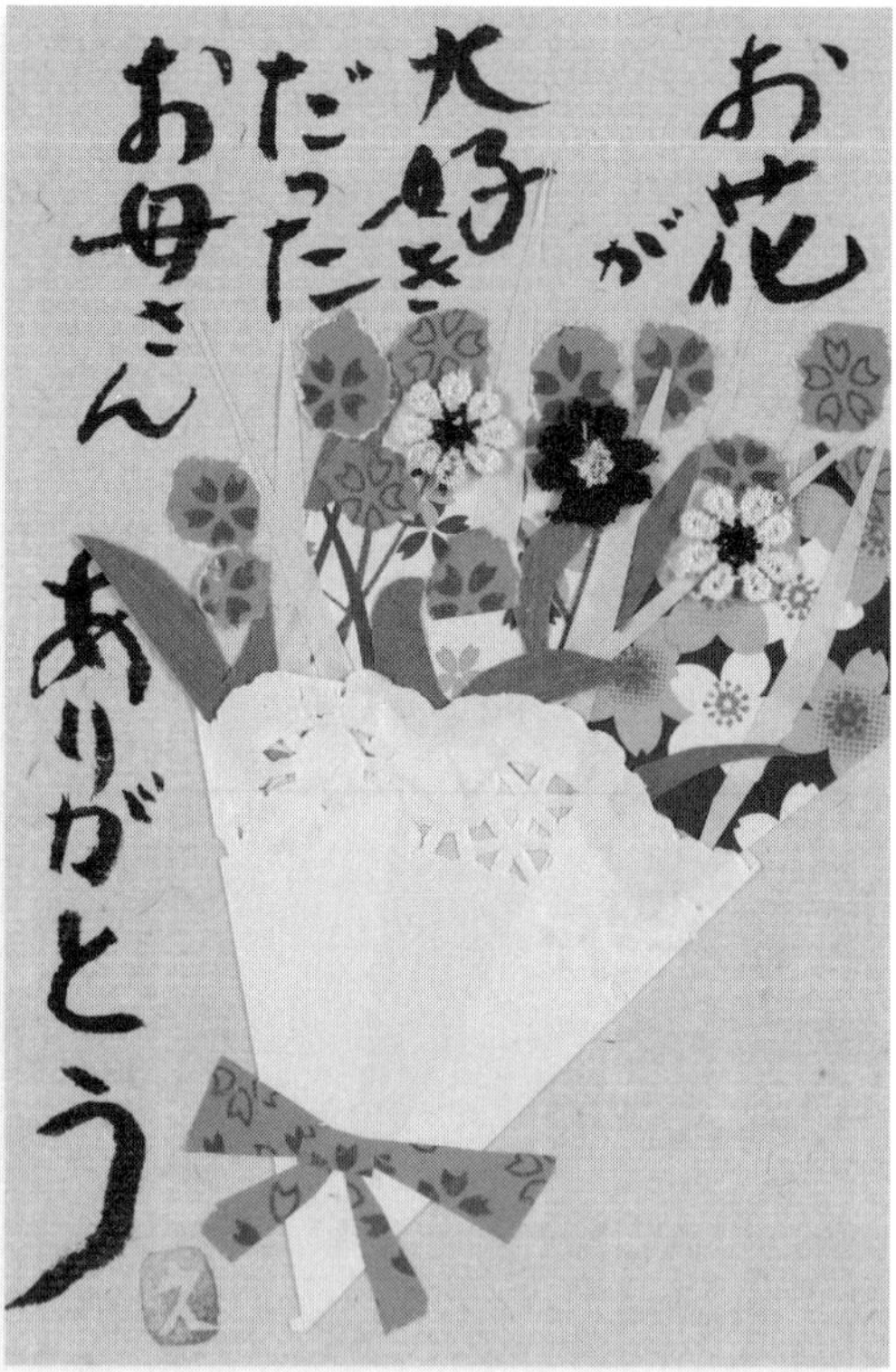

お花が
大好き
だった
お母さん
ありがとう

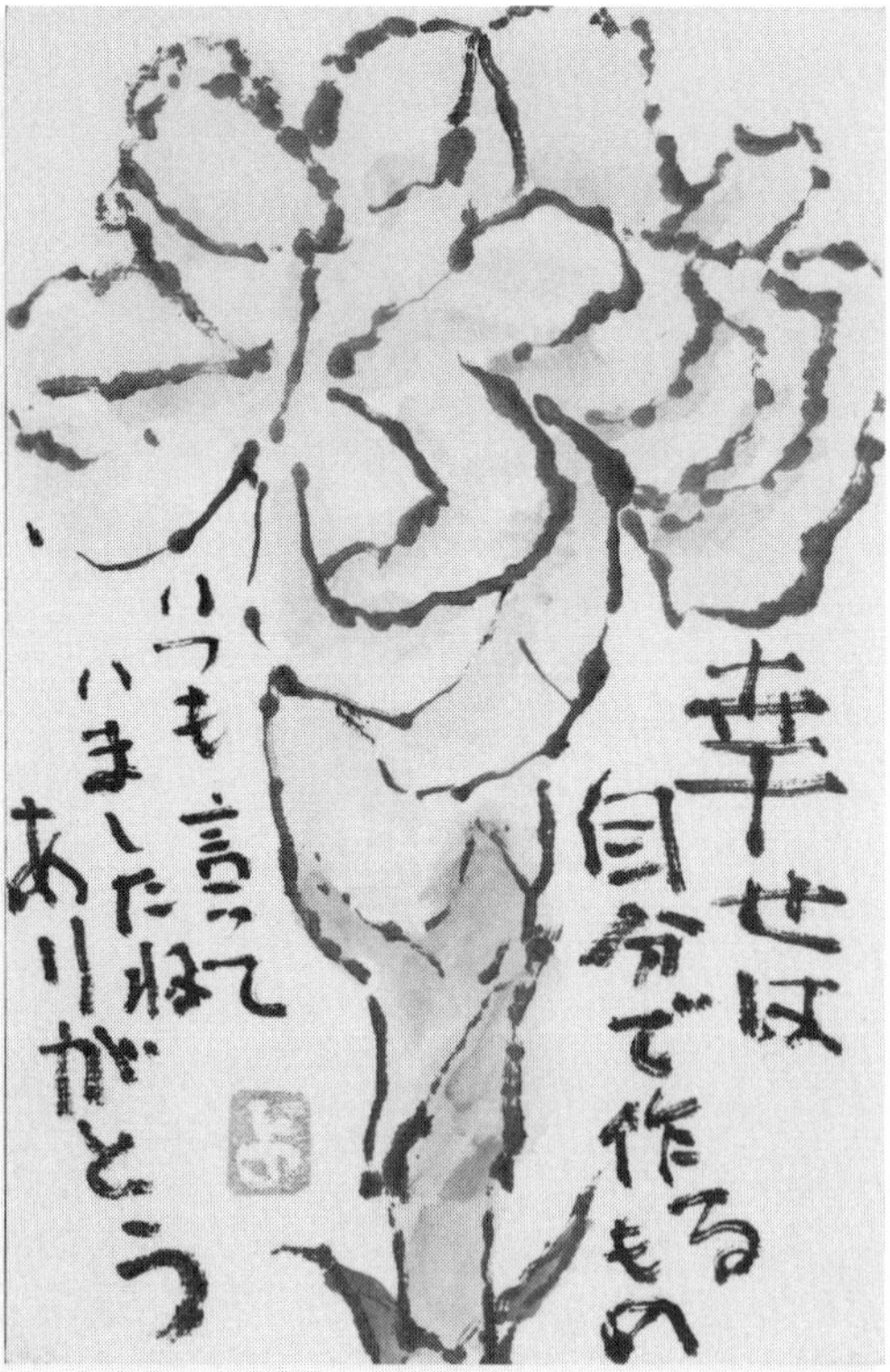

幸せは
自分で作るもの
いつも言って
いましたね
ありがとう

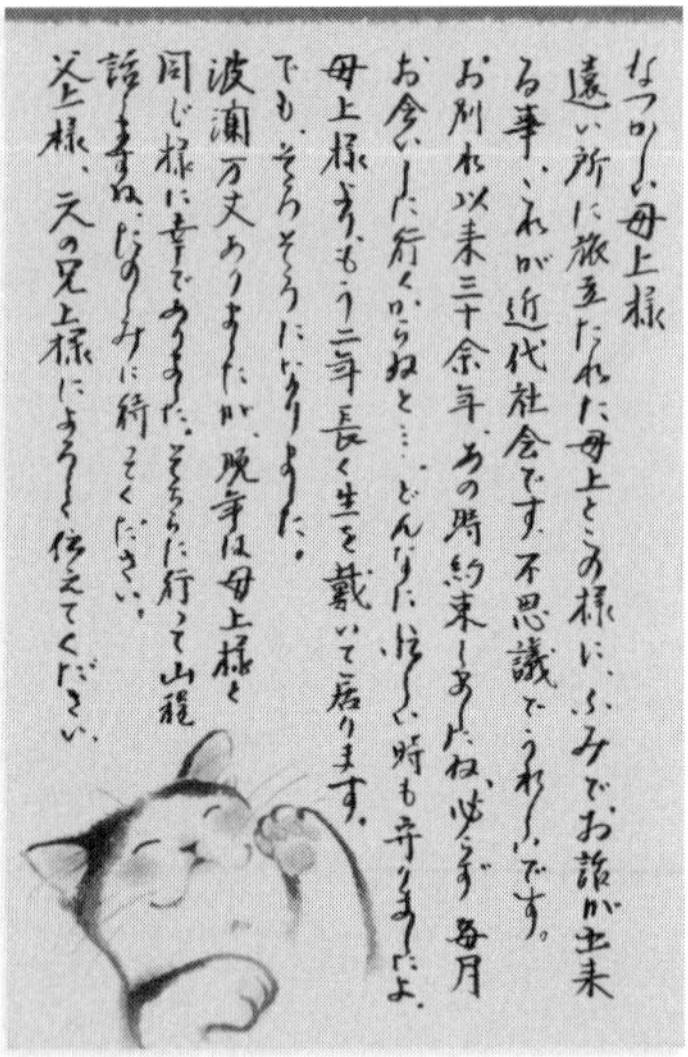

なつかしい母上様

遠い所に旅立たれた母上とこの様に、ふみでお話が出来る事、これが近代社会です、不思議でうれしいです。

お別れ以来三十余年、あの時約束しましたね、必らず(必ず)毎月お会いしに行くからねと…。どんなに忙しい時も守りましたよ。母上様より、もう二年長く生を戴いて居ります。でも、そろそろになりました。波瀾万丈ありましたが、晩年は母上様と同じ様に幸(せ)でありました。そちらに行って山程話しますね、たのしみに待ってください。

父上様、二人の兄上様によろしく伝えてください。

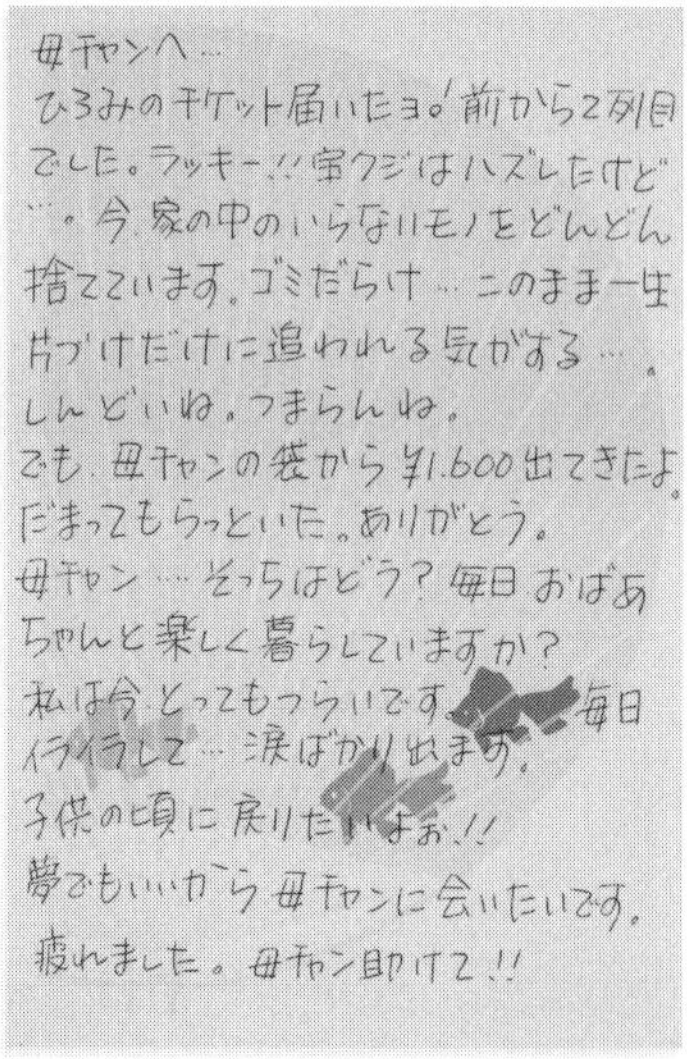
母チャンへ…
ひろみのチケット届いたヨ。前から2列目
でした。ラッキー!!宝クジはハズレたけど
…。今、家の中のいらないモノをどんどん
捨てています。ゴミだらけ…このまま一生
片づけだけに追われる気がする…。
しんどいね。つまらんね。
でも、母チャンの袋から¥1,600出てきたよ。
だまってもらっといた。ありがとう。
母チャン…そっちはどう？毎日おばあ
ちゃんと楽しく暮らしていますか？
私は今とってもつらいです。毎日
イライラして…涙ばかり出ます。
子供の頃に戻りたいよぉ!!
夢でもいいから母チャンに会いたいです。
疲れました。母チャン助けて!!

母チャンへ…


ひろみのチケット届いたヨ！ 前から2列目でした。ラッキー!! 宝クジはハズレたけど…。今、家の中のいらないモノをどんどん捨てています。ゴミだらけ…このまま一生片づけだけに追われる気がする…。

しんどいね。つまらんね。

でも、母チャンの袋から¥1，600出てきたよ。だまってもらっといた。ありがとう。

母チャン…そっちはどう？

毎日おばあちゃんと
楽しく暮らしていますか？

私は今とってもつらいです。

毎日イライラして…涙ばかり出ます。

子供の頃に戻りたいよぉ!!

夢でもいいから母チャンに会いたいです。

疲れました。母チャン助けて!!

お母さん、育ててくれてありがとう。
いつものように朝が来ると思っていた。
突然、何も言わないまま、旅立ってしまった
お母さん。
あの夜、あのまま病院へ連れていっていたら…
そう、自分を責める気持と
苦労が多く波乱にとんだ人生から解放され、
もう、痛みも苦しみも悲しみも、
すべてから解放されて、
そちらの世界で
おばあちゃん、おじいちゃん、
亡くなったワンコ達とみんなと
幸せに過ごしていてほしい、

そんなことも考えています。
ただ、これだけはいつか伝えたかった。
苦労して育ててくれてありがとうと。
少しずつ、
色々なことがわからなくなっていく
お母さんを見ながら、苦しいんだろうな、
辛いんだろうな、そう感じていた。毎朝、
お母さんに靴下をはかせながら、
ああ、私もこうして
お母さんに大きくしてもらったんだなあ
と、いつか、ありがとうが言えると思っていた。
なのに、伝えられなくてごめん。

お母さん、育ててくれてありがとう。

いつものように朝が来ると思っていた。
突然、何も言わないまま、旅立ってしまった
お母さん。
あの夜、あのまま病院へ連れていっていたら…
そう、自分を責める気持と、
苦労が多く波乱にとんだ人生から解放
され、もう、痛みも苦しみも悲しみも、すべて
から解放されて、そちらの世界でおばあちゃん
おじいちゃん、亡くなったワンコ達とみんなと
幸せに過ごしていてほしい。そんなことも
考えています。
ただ、これだけはいつか伝えたかった。
苦労して育ててくれてありがとう と。
少しずつ、色々なことがわからなくなっていく
お母さんを見ながら、苦しいんだろうな、
辛いんだろうな、そう感じていた。毎朝、
お母さんに靴下をはかせながら、ああ、私も
こうしてお母さんに大きくしてもらったんだなあ
と、いつか、ありがとうが言えると思ってた。なのに。
伝えられなくてごめん。

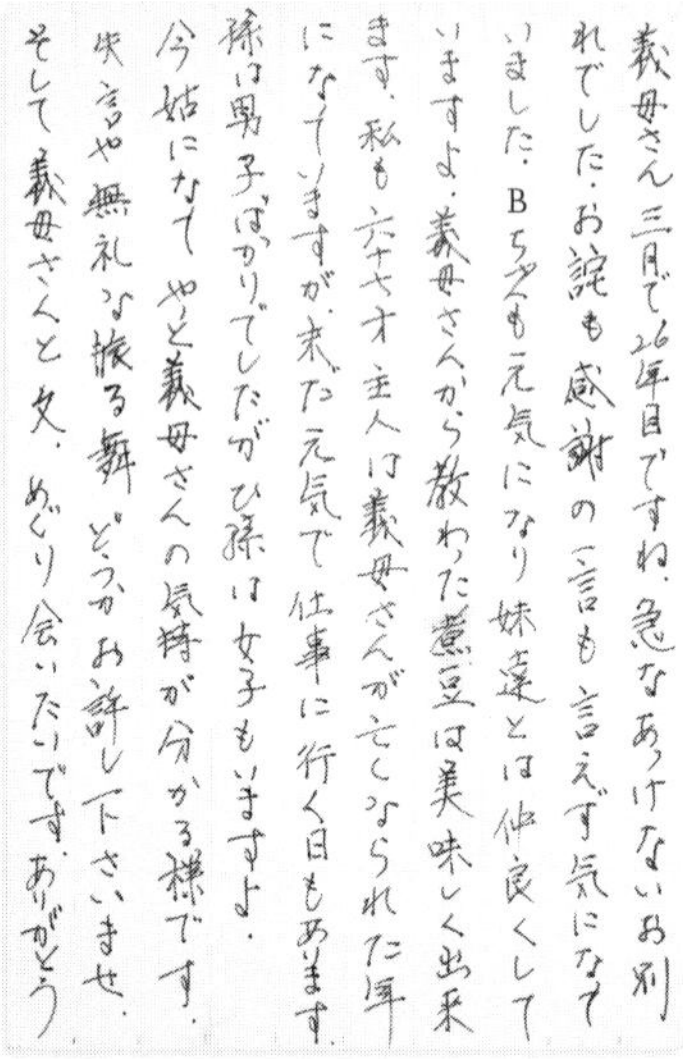

義母さん三月で26年目ですね。急なあっけないお別れでした。お詫も感謝の一言も言えず気になていました。Bちゃんも元気になり妹達とは仲良くしていますよ。義母さんから教わった煮豆は美味しく出来ます。私も六十七才 主人は義母さんが亡くなられた年になていますが。未だ元気で仕事に行く日もあります。孫は男子ばかりでしたがひ孫は女子もいますよ。今姑になて やと義母さんの気持が分かる様です。失言や無礼な振る舞 どうかお許し下さいませ。そして義母さんと又。めぐり会いたいです。ありがとう

義母さん三月で26年目ですね。急なあっけないお別れでした。お詫（び）も感謝の一言も言えず気になっていました。Bちゃんも元気になり妹達とは仲良くしていますよ。義母さんから教わった煮豆は美味しく出来ます。私も六十七才 主人は義母さんが亡くなられた年になっていますが、未だ元気で仕事に行く日もあります。孫は男子ばかりでしたがひ孫は女子もいますよ。今姑になってやっと義母さんの気持が分かる様です。失言や無礼な振る舞（い）どうかお許し下さいませ。そして義母さんと又《また》、めぐり会いたいです。ありがとう

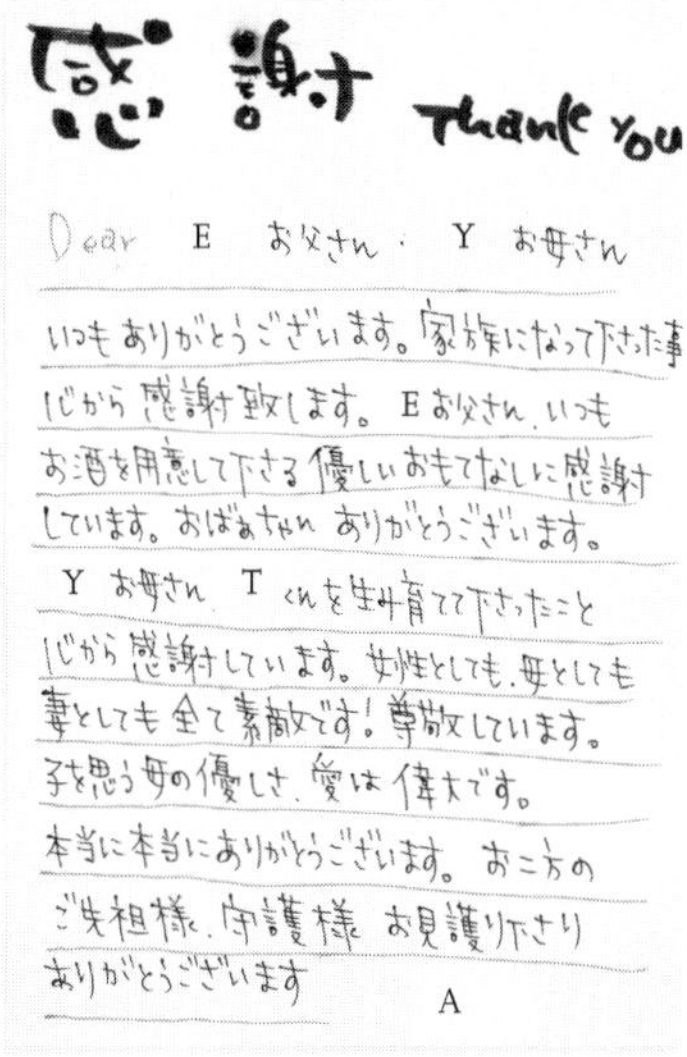
感謝 Thank you
Dear E お父さん・Y お母さん
いつもありがとうございます。家族になって下さった事
心から感謝致します。Eお父さん、いつも
お酒を用意して下さる優しいおもてなしに感謝
しています。おばあちゃん ありがとうございます。
Y お母さん T くんを生み育てて下さったこと
心から感謝しています。女性としても、母としても
妻としても全て素敵です！ 尊敬しています。
子を思う母の優しさ、愛は偉大です。
本当に本当にありがとうございます。お二方の
ご先祖様、守護様 お見護り下さり
ありがとうございます
A

感謝　Thank you

Dear　Eお父さん・Yお母さん

いつもありがとうございます。家族になって下さった事心から感謝致します。Eお父さん、いつもお酒を用意して下さる優しいおもてなしに感謝しています。おばあちゃんありがとうございます。Yお母さん、Tくんを生み育てて下さったこと心から感謝しています。女性としても、母としても妻としても全て素敵です！尊敬しています。子を思う母の優しさ、愛は偉大です。本当に本当にありがとうございます。お二方のご先祖様、守護様お見護り下さりありがとうございます

A

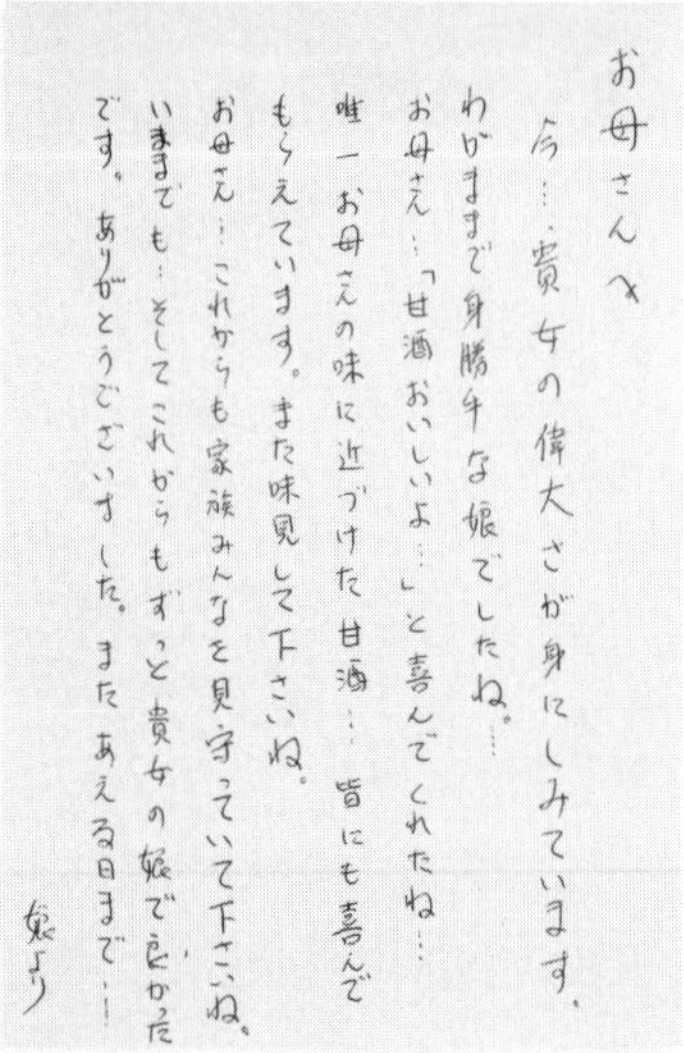
お母さんへ
今…貴女の偉大さが身にしみています。
わがままで身勝手な娘でしたね。…
お母さん…「甘酒おいしいよ…」と喜んでくれたね…
唯一お母さんの味に近づけた甘酒… 皆にも喜んで
もらえています。また味見して下さいね。
お母さん…これからも家族みんなを見守っていて下さいね。
いままでも…そしてこれからもずっと貴女の娘で良かった
です。ありがとうございました。またあえる日まで…
娘より

お母さんへ

今…貴女の偉大さが身にしみています。
わがままで身勝手な娘でしたね。…
お母さん…「甘酒おいしいよ…」と
喜んでくれたね…
唯一お母さんの味に近づけた甘酒…
皆にも喜んでもらえています。
また味見して下さいね。
お母さん…これからも
家族みんなを見守っていて下さいね。
いままでも…そしてこれからも
ずっと貴女の娘で良かったです。
ありがとうございました。
またあえる日まで…

娘より

感謝あるのみ
母
あの時、支えてくれたから
今の自分がいる

「お母さん」のいない3度目のお正月、孫達集ってにぎやかに過（ご）しました。それから3ヶ月半後のきょう4月15日は、お母さんの誕生日、生きていてくれたら103才なのに…100才の誕生日の時楽しかったね、孫、ひ孫。

笑顔いっぱいのあの日は、ホント楽しかった。あの日から101日後に突然天国へ旅出(立)ったお母さんに面と向(か)って〃ありがとう〃と言わなかったこと、言えばよかったのにと思っています。

生後6ヶ月の妹を首からぶら下げ、3才7ヶ月の私の手を引き、背に大きなリュックサックをしょって、私の手を離したら連れて行かれるから、しっかり握り満州奏（奉）天から命がけで連れて帰ってくれ、父の死後働いて働いて育ててくれてありがとう。

お母さんの大きな力、忍耐力、愛に心から感謝しています。お母さんの布団にもぐり込んでいたヒ孫のTは高校生になりました。Cは大学生、元気です、見守って下さいネ

平成28年4月15日　娘より

「お母さん」のいない3度目のお正月、
孫達集ってにぎやかに過しました。それから
3ケ月半後のきょう 4月15日は、お母さんの
誕生日。生きていてくれたら103才なのに……
100才の誕生日の時楽しかったね。孫、ひ孫、
笑顔いっぱいのあの日は、ホント楽しかった。
あの日から101日後に、突然天国へ旅立
ったお母さんに面と向って"ありがとう"と
言わなかったこと、言えばよかったのにと
思っています。生後6ヶ月の妹を首
からぶら下げ、3才7ヶ月の私の手を引き、
背に大きなリュックサックをしょって、私の手を
離したら連れて行かれるから、しっかり握り
満州奉天から命がけで連れて帰ってくれ、
父の死後働いて育ててくれてありがとう
お母さんの大きな力、忍耐力、愛に心から
感謝しています。お母さんの布団にもぐり
込んでいたひ孫の T は高校生になりました
C は大学生、元気です。見守って下さいネ
平成28年 4月15日 娘より

お盆にはビールで乾杯しよう！

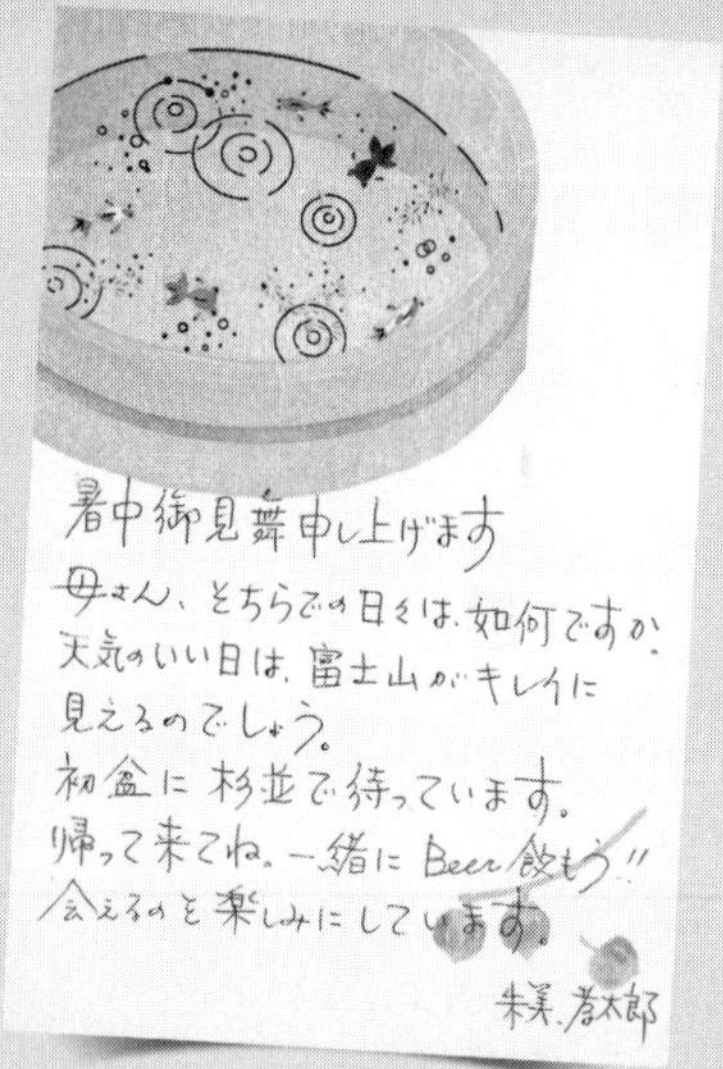
暑中御見舞申し上げます
母さん、そちらでの日々は如何ですか。
天気のいい日は、富士山がキレイに
見えるのでしょう。
初盆に 杉並で待っています。
帰って来てね。一緒にBeer飲もう!!
会えるのを楽しみにしています。
朱美、孝太郎

金魚が描かれた愛らしいはがきに、「一緒にＢｅｅｒ（ビール）飲もう」というメッセージ。カラリと明るく、語りかけるようなはがきの送り主は、長野県在住の朱美さん。「必ずキリンの瓶ビール。グラス一杯だけですが、母は晩酌のビールを何より楽しみにしていました。盆や正月などは、東京にある両親の家に、うちの家族、弟家族で集合するのが恒例で、必ずビールで乾杯（笑）。私の息子・孝太郎はおばあちゃんっ子で、母は孫と一緒に近所の商店街へ出向き、おつまみを買うのも心待ちにしていたようです。幼いころに母親を亡くした経験から、大勢そろうと〝やっと自分の家族ができた。にぎやかだねえ。幸せだねぇ〟とうれしそうでした」

2016年3月11日。風呂上がりに廊下で倒れ、救急車が到着したときにはすでに心肺停止状態だったそう。

「80歳でした。日常生活は送れる程度の初期の認知症と診断されていたので、1日1回は電話をかけコミュニケーションをとるようにしていたんです。その日はちょうど、東日本大震災から5年たった日。14時46分、電話越しに一緒に黙祷を終えてから〝また明日。切るね！〟と母。それが最後の会話となってしまいました。認知症と診断されてからは〝迷惑だけはかけたくない。PPK（ピンピンコロリ）が理想〟と口癖のようにいっていた母。結果的に、だれにも迷惑をかけることなくすうっと天国へ。母らしいなと思います」

棺には、4、5枚手紙を書いて入れたものの、続きを出したいな…と思っていたという竹内さん。ある日、息子さんが「漂流郵便局という場所があるらしいよ。ばあばに手紙、出せるよ！」と教えてくれたとか。

「すぐにはがきを書きました。ちょうど初盆前だったので、またみんなで集まるよ、帰ってきてね、という想いを込めて。はがきが届いたのか、初盆はみんなそろって乾杯できた気がしています。母が亡くなってからひとりでがんばっていた父も2年半後に亡くなりました。今は富士山のふもとにあるお墓で、ふたり仲よくビールを飲んでいるのかも。父にもはがきを書いてみようと思っています」

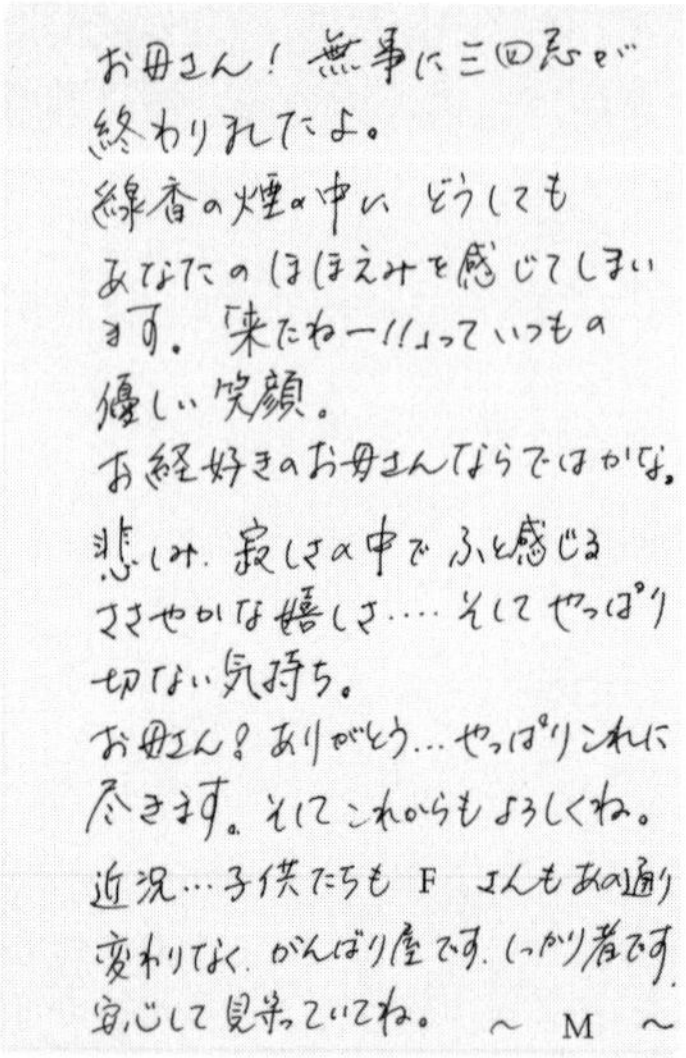

お母さん！無事に三回忌が
終わりましたよ。
線香の煙の中に どうしても
あなたのほほえみを感じてしまい
ます。「来たねー!!」っていつもの
優しい笑顔。
お経好きのお母さんならではかな。
悲しみ、寂しさの中で ふと感じる
ささやかな嬉しさ…… そしてやっぱり
切ない気持ち。
お母さん！ありがとう…やっぱりこれに
尽きます。そしてこれからもよろしくね。
近況…子供たちも F さんもあの通り
変わりなく、がんばり屋です、しっかり者です。
安心して見守っていてね。 ～ M ～

お母さん！ 無事に三回忌が終わりましたよ。
線香の煙の中にどうしても
あなたのほほえみを感じてしまいます。
「来たねー!!」っていつもの
優しい笑顔。
お経好きのお母さんならではかな。
悲しみ、寂しさの中でふと感じる
ささやかな嬉しさ…そしてやっぱり
切ない気持ち。
お母さん！ ありがとう…やっぱりこれに
尽きます。そしてこれからもよろしくね。
近況…子供たちもFさんもあの通り
変わりなく、がんばり屋です、
しっかり者です。
安心して見守っていてね。

～M～

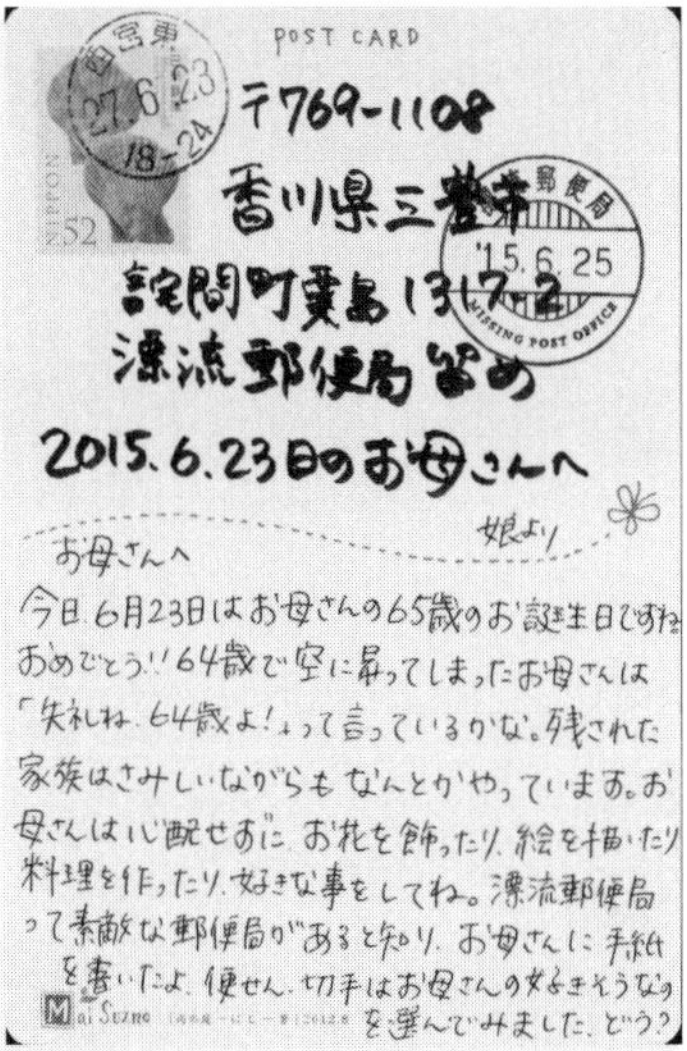
POST CARD
〒769-1108
香川県三豊市
詫間町粟島1317-2
漂流郵便局留め
2015.6.23日のお母さんへ
娘より
お母さんへ
今日6月23日はお母さんの65歳のお誕生日ですね
おめでとう!! 64歳で空に昇ってしまったお母さんは
「失礼ね、64歳よ！」って言っているかな。残された
家族はさみしいながらも なんとかやっています。お
母さんは心配せずに お花を飾ったり、絵を描いたり
料理を作ったり、好きな事をしてね。漂流郵便局
って素敵な郵便局があると知り、お母さんに手紙
を書いたよ。便せん、切手はお母さんの好きそうなの
を選んでみました。どう？

2015.6.23日のお母さんへ

今日6月23日はお母さんの65歳のお誕生日ですね。おめでとう!! 64歳で空に昇ってしまったお母さんは「失礼ね、64歳よ！」って言っているかな。残された家族はさみしいながらもなんとかやっています。お母さんは心配せずに、お花を飾ったり、絵を描いたり料理を作ったり、好きな事をしてね。漂流郵便局って素敵な郵便局があると知り、お母さんに手紙を書いたよ。便せん、切手はお母さんの好きそうなのを選んでみました。どう？

娘より

5年前に星になったお母さんへ

お母さん、今はどうしてる?
私はもう29歳だよ。
生まれ変わりたいって言ってた
くらげになれたかな。
お母さんにもらった命なのに、
全然誇ることが
できない人生を送っててごめんなさい。
親孝行できなくてごめんなさい。
最後にケーキを一緒に食べさせて
あげられなくてごめんなさい。
あんなに食べたそうだったのに…。
お見舞の時本読んでてごめんなさい。

もっと話せばよかった。
もっと一緒に出かければよかった。
あんまり歩けないお母さんに
イライラなんてせずに
一緒に手をつないで歩けばよかった……。
生まれ変わっても、お母さんの子供がいいなぁ。
次はちゃんと親孝行したいなぁ。大好きだよ。
P.S.私が父のようなダメ男に
引っかからないよう見守っててね‼
普通の人とめぐり合えますよう‼ 笑

Mより。

5年前に星になったお母さんへ

お母さん、今はどうしてる？私はもう29歳だよ。
生まれ変わりたいって言ってたくらげになれたかな。
お母さんにもらった命なのに、全然誇ることが
できない人生を送っててごめんなさい。
親孝行できなくてごめんなさい。
最後にケーキを一緒に食べさせてあげられなくて
ごめんなさい。あんなに食べたそうだったのに…。
お見舞の時本読んでてごめんなさい。
もって話せばよかった。もっと一緒に出かければ
よかった。あんまり歩けないお母さんに
イライラなんてせずに一緒に手をつないで歩けば
よかった……。
生まれ変わっても、お母さんの子供が
いいなあ。次はちゃんと親孝行
したいなあ。大好きだよ。
P.S. 私が父のようなダメ男に引っかからないよう
見守っててね!!
普通の人とめぐり合えますように!!

M より。

ディズニー キャラクター in 徳島 2
母ちゃんにお便り出す事が出来ました。
天国はどうですか？母ちゃんが居なくなって
1年がすぎました。母ちゃんに会いたいと思っても
もう出来ません。夢にも会いに来てくれなかったね。
私、1年、頑張ったよ。そしたら昨日、夢に会いに来て
くれたよね。母ちゃんのぬくもりを感じました。そして
今朝、この郵便局の事、知りました。
母ちゃん、ありがとう。本当にありがとう。

母ちゃんにお便り出す事が出来ました。

天国はどうですか？　母ちゃんが居なくなって1年がすぎました。母ちゃんに会いたいと思ってももう出来ません。夢にも会いに来てくれなかったね。私、1年、頑張ったよ。

そしたら昨日、夢に会いに来てくれたよね、母ちゃんのぬくもりを感じました。

そして今朝、この郵便局の事、知りました。

母ちゃん、ありがとう、本当にありがとう。

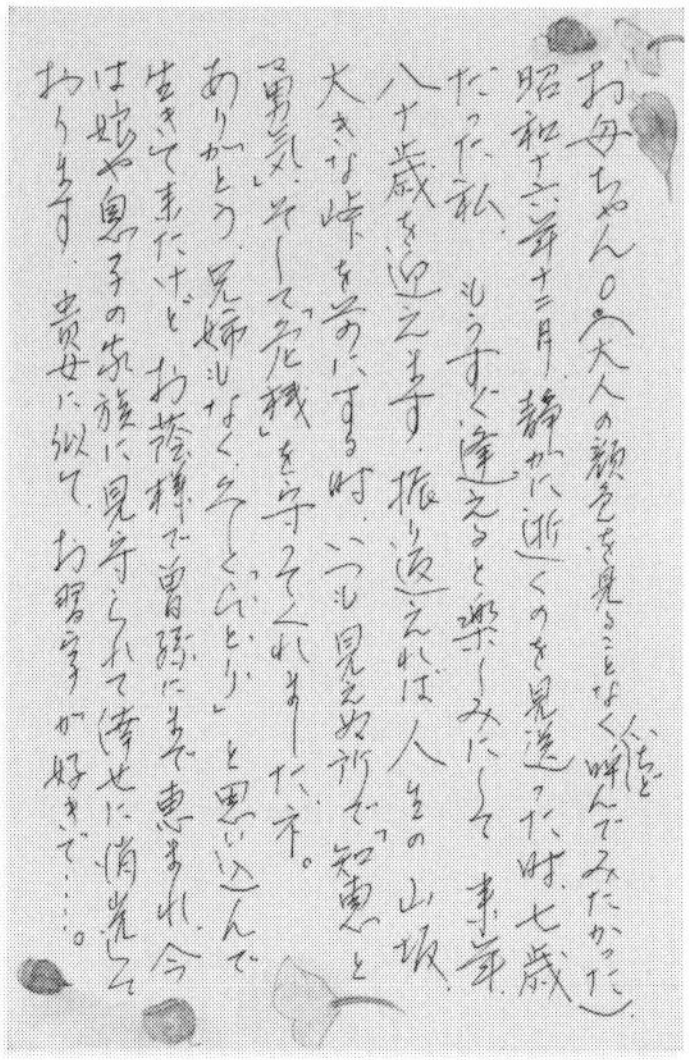
お母ちゃん。(大人の顔色を見ることなくいちど呼んでみたかった)
昭和十六年十二月 静かに逝くのを見送った時 七歳
だった私. もうすぐ逢えると楽しみにして 来年
八十歳を迎えます. 振り返えれば人生の山坂
大きな峠を前にする時. いつも見えぬ所で「知恵」と
「勇気」そして「危機」を守ってくれました不。
ありがとう. 兄姉もなく 久しく「ひとり」と思い込んで
生きて来たけど お蔭様で曽孫にまで恵まれ 今
は娘や息子の家族に見守られて倖せに消光して
おります. 貴女に似て お習字が好きで……。

お母ちゃん！（大人の顔色を見ることなくいちど呼んでみたかった）
昭和十六年十二月、静かに逝くのを見送った時、七歳だった私。もうすぐ逢えると楽しみにして来年八十歳を迎えます。振り返（え）れば人生の山坂、大きな峠を前にする時、いつも見えぬ所で「知恵と勇気」そして「危機」を守ってくれましたネ。
ありがとう。兄姉もなく、久しく「ひとり」と思い込んで生きて来たけどお蔭様で曽孫にまで恵まれ、今は娘や息子の家族に見守られて倖せに消光《しょうこう》しております。貴女に似てお習字が好きで…。

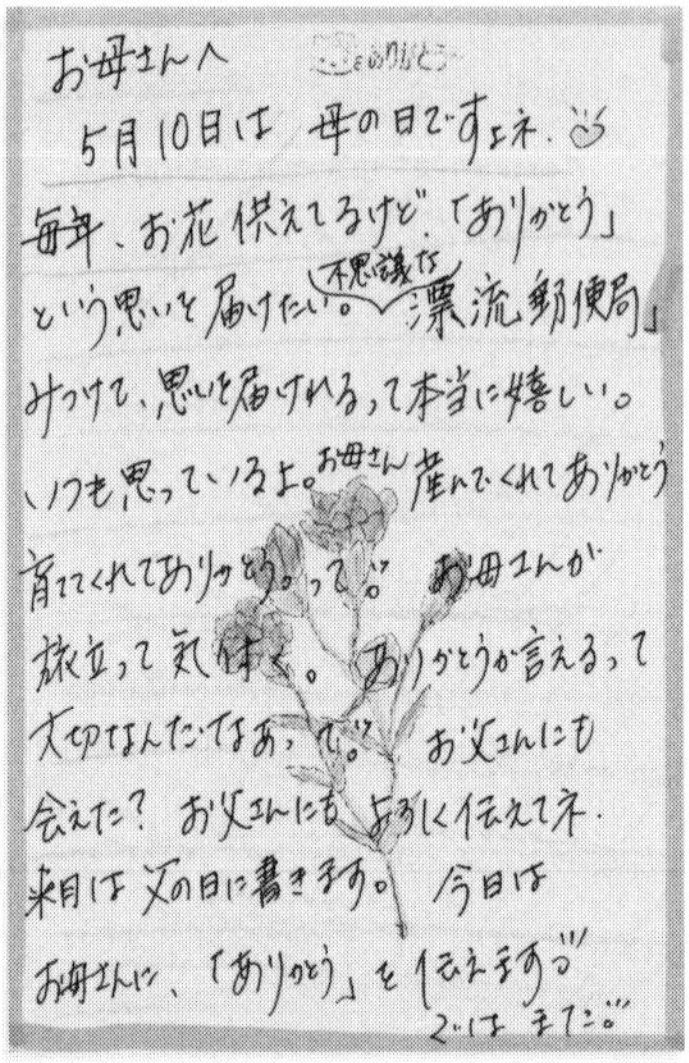
お母さんへ
5月10日は 母の日ですよネ。
毎年、お花供えてるけど「ありがとう」
という思いを届けたい。不思議な「漂流郵便局」
みつけて、思いを届けれるって本当に嬉しい。
いつも思っているよ。お母さん 産んでくれてありがとう
育ててくれてありがとう。って。お母さんが
旅立って気付く。ありがとうが言えるって
大切なんだなあって。お父さんにも
会えた？ お父さんにも よろしく伝えてネ。
来月は 父の日に書きます。今日は
お母さんに、「ありがとう」を伝えます。
では また。

お母さんへ

5月10日は母の日ですよネ♡
毎年、お花供えてるけど、
「ありがとう」という思いを届けたい。
不思議な「漂流郵便局」みつけて、
思いを届け（ら）れるって本当に嬉しい。
いつも思っているよ。
お母さん産んでくれてありがとう
育ててくれてありがとう。って！
お母さんが旅立って気付く。
ありがとうが言えるって大切なんだなあって！
お父さんにも会えた？
お父さんにもよろしく伝えてネ
来月は父の日に書きます。今日は
お母さんに、「ありがとう」を伝えます！
ではまた！

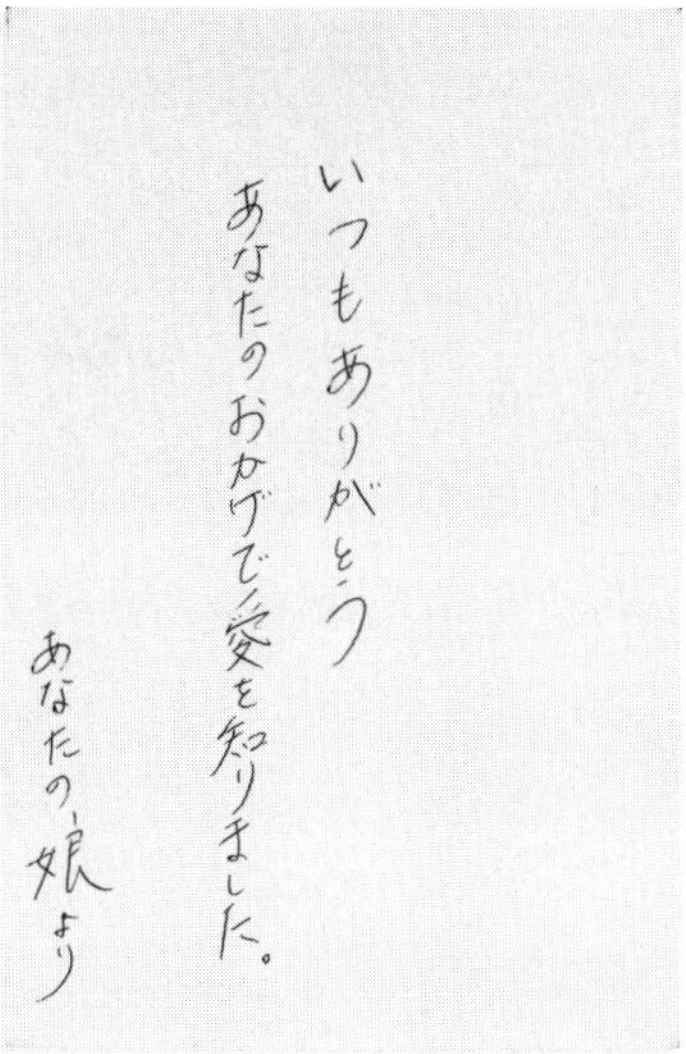
いつもありがとう
あなたのおかげで愛を知りました。
あなたの娘より

いつもありがとう
あなたのおかげで愛を知りました。
あなたの娘より

おかあさん

　今日で私27歳になりました。今日は台風が来るとの予報で、せっかくのお誕生日に台風だなんて…と少し落ちこんでいました。でも天気は晴れではないにしても隠(穏)やかです。勝手におかあさんからのプレゼントかなと思って嬉しくなりました。良いスタートです！

　この年齢になって、幼い時より強い気持ちでおかあさんに逢いたくなるよ。聞きたいこと、話したいことといっぱい。

　おかあさんが女性としてどんな生き方をしてきたか。仕事や結婚や出産・人生の節目にどんなことを思ったか。辛い時にどう乗り越えたのか。どんな恋をしたのだろう。

「生き方」や「人生」について考えることがとっても多くなりました。私も大人でしょ。でもまだ子どもな部分もあって悩んで泣いてばかりいます。だめだね。

　いつもおかあさんを側に感じるので、こんな私で落胆してしまっていないかと不安です…がんばらないといけないね。

　私、おかあさんの子どもで幸せだよ。おかあさんがつけてくれた名前がとっても好きです。名前のように、生きていくね。

　いつも本当にありがとう。これからも見守っていてね。お姉ちゃんお兄ちゃんもおかあさんのかわいい孫ちゃん達もみんな元気です。

　いつも想っています。ずっとみんなのそばにいてね。

おかあさん

今日で私 27歳になりました。今日は台風が来るとの予報で、せっかくのお誕生日に台風だなんて…と少し落ちこんでいました。でも天気は晴れではないにしても穏やかです。勝手におかあさんからのプレゼントかなと思って嬉しくなりました。良いスタートです！

この年齢になって、幼い時より強い気持ちでおかあさんに逢いたくなるよ。聞きたいこと、話したいこといっぱい。

おかあさんが女性としてどんな生き方をしてきたか。
仕事や結婚や出産・人生の節目にどんなことを思ったか。
辛い時にどう乗り越えたのか。どんな恋をしたのだろう。

「生き方」や「人生」について考えることがとっても多くなりました。私も大人でしょ。でもまだ子どもな部分もあって悩んで泣いてばかりいます。だめだね。

いつもおかあさんを側に感じるので、こんな私で落胆してしまっていないかと不安です…がんばらないといけないね。

私、おかあさんの子どもで幸せだよ。おかあさんがつけてくれた名前がとっても好きです。名前のように、生きていくね。

いつも本当にありがとう。これからも見守っていてね。

お姉ちゃんお兄ちゃんもおかあさんのかわいい孫ちゃん達もみんな元気です。
いつも想っています。　ずっとみんなのそばにいてね。

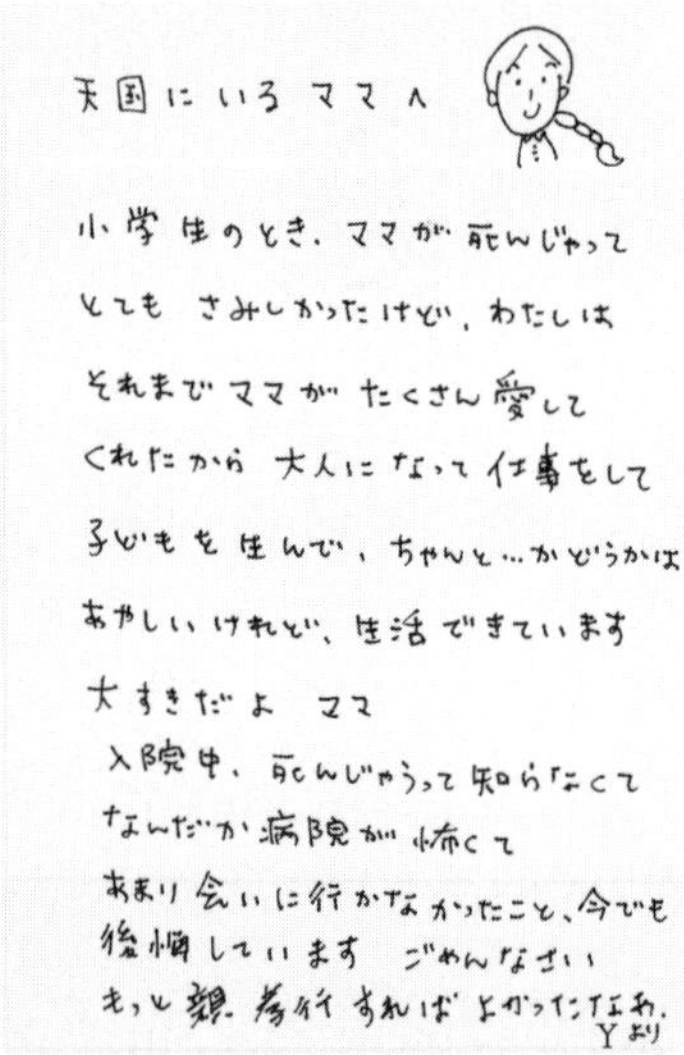
天国にいるママへ
小学生のとき、ママが死んじゃって
とても さみしかったけど、わたしは
それまでママがたくさん愛して
くれたから大人になって仕事をして
子どもを生んで、ちゃんと…かどうかは
あやしいけれど、生活できています
大すきだよ ママ
入院中、死んじゃうって知らなくて
なんだか病院が怖くて
あまり会いに行かなかったこと、今でも
後悔しています ごめんなさい
もっと親孝行すればよかったなあ。
Yより

天国にいるママへ

小学生のとき、ママが死んじゃって
とてもさみしかったけど、わたしは
それまでママがたくさん愛して
くれたから大人になって仕事をして
子どもを生んで、ちゃんと…かどうかは
あやしいけれど、生活できています
大すきだよ　ママ
入院中、死んじゃうって知らなくて
なんだか病院が怖くて
あまり会いに行かなかったこと、今でも
後悔しています　ごめんなさい
もっと親孝行すればよかったなあ。

Yより

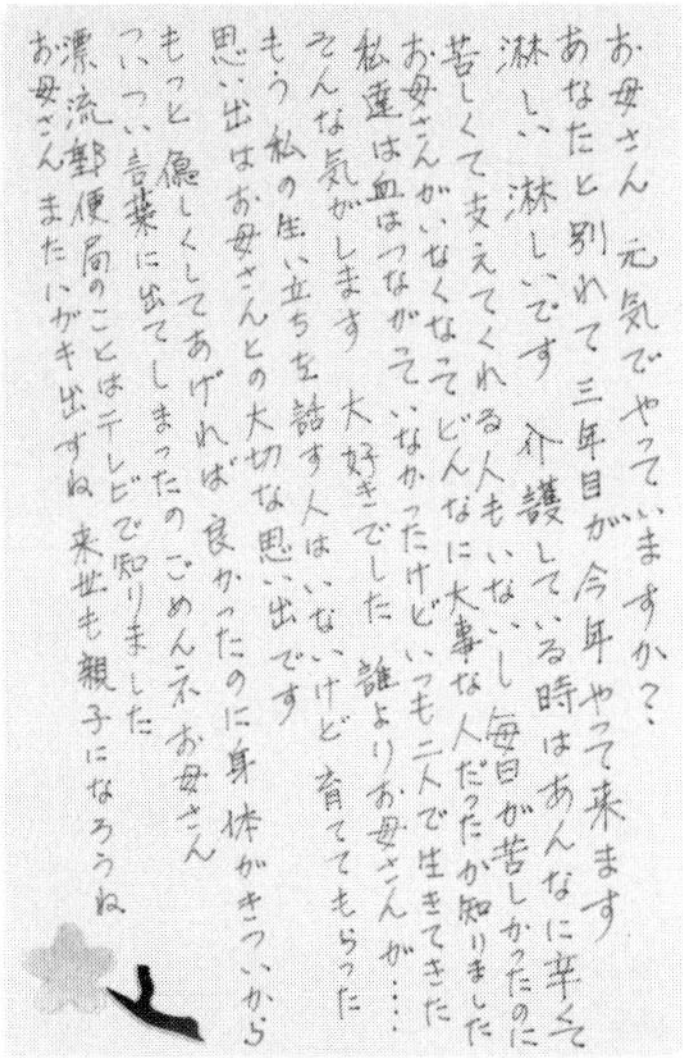
お母さん 元気でやっていますか?
あなたと別れて三年目が今年やって来ます
淋しい 淋しいです 介護している時はあんなに辛くて
苦しくて支えてくれる人もいないし毎日が苦しかったのに
お母さんがいなくなってどんなに大事な人だったか知りました
私達は血はつながっていなかったけどいつも二人で生きてきた
そんな気がします 大好きでした 誰よりお母さんが…
もう私の生い立ちを話す人はいないけど 育ててもらった
思い出はお母さんとの大切な思い出です
もっと優しくしてあげれば良かったのに身体がきついから
ついつい言葉に出てしまったの ごめんネお母さん
漂流郵便局のことはテレビで知りました
お母さんまたハガキ出すね 来世も親子になろうね

お母さん　元気でやっていますか?
あなたと別れて三年目が今年やって来ます　淋しい　淋しいです　介護している時はあんなに辛くて　苦しくて支えてくれる人もいないし毎日が苦しかったのに　お母さんがいなくなってどんなに大事な人だったか知りました　私達は血はつながっていなかったけどいつも二人で生きてきた　そんな気がします
大好きでした。誰よりお母さんが…
もう私の生い立ちを話す人はいないけど育ててもらった思い出はお母さんとの大切な思い出です　もっと優しくしてあげれば良かったのに身体がきついから、ついつい言葉に出てしまったの　ごめんネお母さん
漂流郵便局のことはテレビで知りました
お母さんまたハガキ出すね
来世も親子になろうね

一度も夢に出てきてくれないね、お母ちゃん

「一緒に旅行に行ったり、買い物をしたりお茶したり。なかよし母娘、という関係がちょっとうらやましいです。うちは、どちらかというと淡々とした関係でしたから」

そんな京子さんのお母さんは、65歳まで休むことなく勤め上げた仕事人。

「近所の町工場や病院の掃除など、もちろん生活のためだったとは思いますが、働くこと自体が好きだったんでしょうね。真面目で仕事熱心だと評判でした。昼間は仕事で家にいないこともあってか、子どものことに細かく口出しせず、思うように好きなようにやれ、というタイプ。友達が〝お母さんが口うるさくてイヤ。毎日けんかしている〟と話すのを

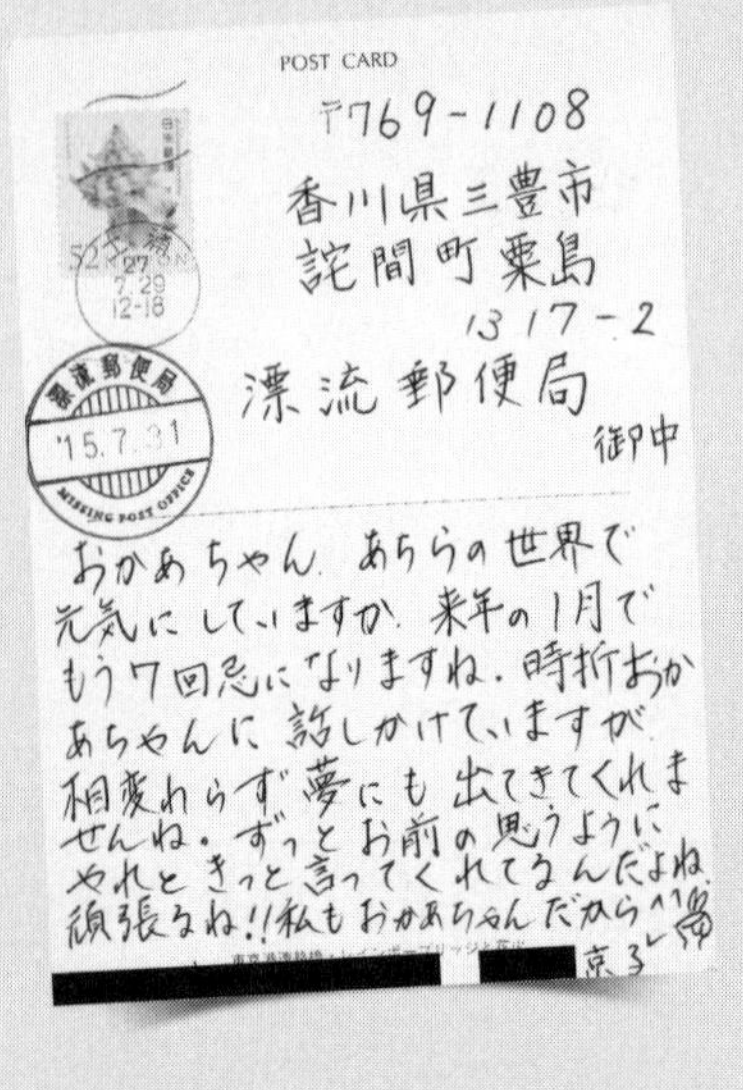
POST CARD
〒769-1108
香川県三豊市
詫間町粟島
1317-2
漂流郵便局
御中
漂流郵便局
'15.7.31
MISSING POST OFFICE
おかあちゃん あちらの世界で
元気にしていますか 来年の1月で
もう7回忌になりますね. 時折おか
あちゃんに話しかけていますが
相変わらず夢にも出てきてくれま
せんね. ずっとお前の思うように
やれときっと言ってくれてるんだよね.
頑張るね!! 私もおかあちゃんだから
[redacted] 京子より

聞いて、世の中の母娘というのはそういうものなのかなぁ、と思っていました」

京子さんも母となり、子育ての悩みを相談したときは〝今の状態がずっと続くわけじゃない〟とシンプルにひと言だけ。

「そりゃそうだろうけど、もっと話聞いてよ～と思ったことも。母は口数が少ないうえ、私は昔から甘えるのが下手だったせいもあってか、会話が続かなくて。亡くなって10年経った今も、一度も夢に出てきてくれません。この距離感が私たちらしいのかな、と今では思いますが。天国で、黙って見守ってくれているのはわかるんですけど、そろそろ夢に出てきてくれてもいいんじゃない？ そういう、ちょっとスネた気持ちも込めて、このはがきを書いたんです」

そう笑いながらお母さまの写真を財布から取り出し、見せてくださった京子さん。

「衣装もちの母とおそろいのセーターを着て写真を撮ったことも。甘くて濃い味つけの煮物やいなりずし、運動会でつくってくれたのり巻きもなつかしいなぁ…。最近、笑い方やしゃべり方がお母さまにそっくり、似てきたね、と主人やきょうだいにいわれるんです。うれしい反面、どこか素直に喜べない気持ちもあります。母娘関係ってつくづく不思議。今になって、母が生きている間にもっとぶつかって、大げんかすればよかったなと思うんです。いつか、夢に出てきてくれたら、思いっきりけんかしようと思います（笑）」

大好きなお母さんへ

お母さんが居なくなってからもう6年が経とうとしています。あの頃の私は高校生で17歳の生意気な末っ子娘でした。素直じゃない性格の私は、本当はお母さんの事が大好きやのに反抗ばかりして手の焼ける娘だったと思います。それでもお母さんは、女手一つでお兄、お姉、私をしっかり育ててくれて、愛してくれて、とても大きく深い器を持った女性、そして母親でした。

私が小学校3年生の時にお父さんが病気で亡くなってしまってそれからずっとお母さんはお父さんに会いたくて寂しくて心細かったのかな？って、お母さんを亡くしてからやっと分かりました。女手一つで大変だったやろうに、一生懸命育ててくれてホンマにありがとう。お母さんが乳癌と分かった時にこれからどうするか皆で話した時、泣いてしまった私を抱きしめてくれたやんか、あれからすぐに体調が悪くなってどんどん弱っていくお母さんを見てて凄く辛かった。最後に抱きしめてくれた時の力強いお母さんはどんどん見えなくなって、

大好きなお母さんへ

お母さんが居なくなってからもう6年が経と
うとしています。あの頃の私は高校生で
17歳の生意気な末っ子娘でした。素直じゃな
い性格の私は、本当はお母さんの事が大好き
やのに反抗ばかりして手の焼ける娘だったと
思います。それでもお母さんは女手一つで
お兄、お姉、私をしっかり育ててくれて、愛して
くれて、とても大きく深い器を持った女性、
そして母親でした。私が小学校3年生の時
にお父さんが病気で亡くなってしまってそれから
ずっとお母さんはお父さんに会いたくて寂しくて
心細かったのかな？って、お母さんを亡くしてから
やっと分かりました。女手一つで大変だった
やろうに、一生懸命育ててくれてホンマに
ありがとう。お母さんが乳癌と分かった時に
これからどうするか皆で話した時、泣いてしまった
私を抱きしめてくれたやんか。あれからすぐに
体調が悪くなってどんどん弱っていくお母さんを
見てて凄く辛かった。最後に抱きしめてくれた時
の力強いお母さんはどんどん見えなくなって、

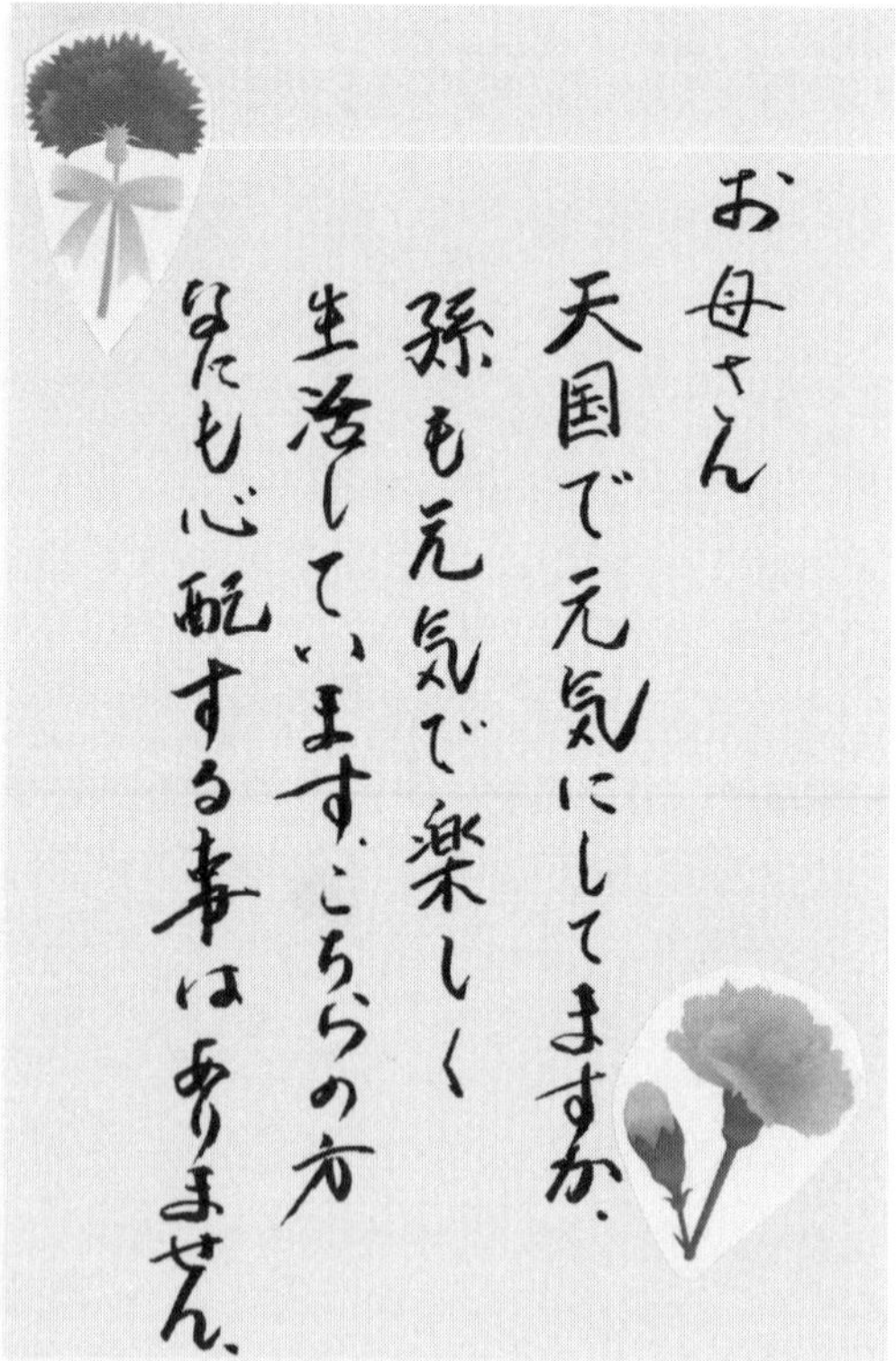
お母さん
天国で元気にしてますか、
孫も元気で楽しく
生活しています、こちらの方
なにも心配する事はありません、

お母さん
天国で元気にしてますか。
孫も元気で楽しく
生活しています。
こちらの方
なにも心配する事は
ありません。

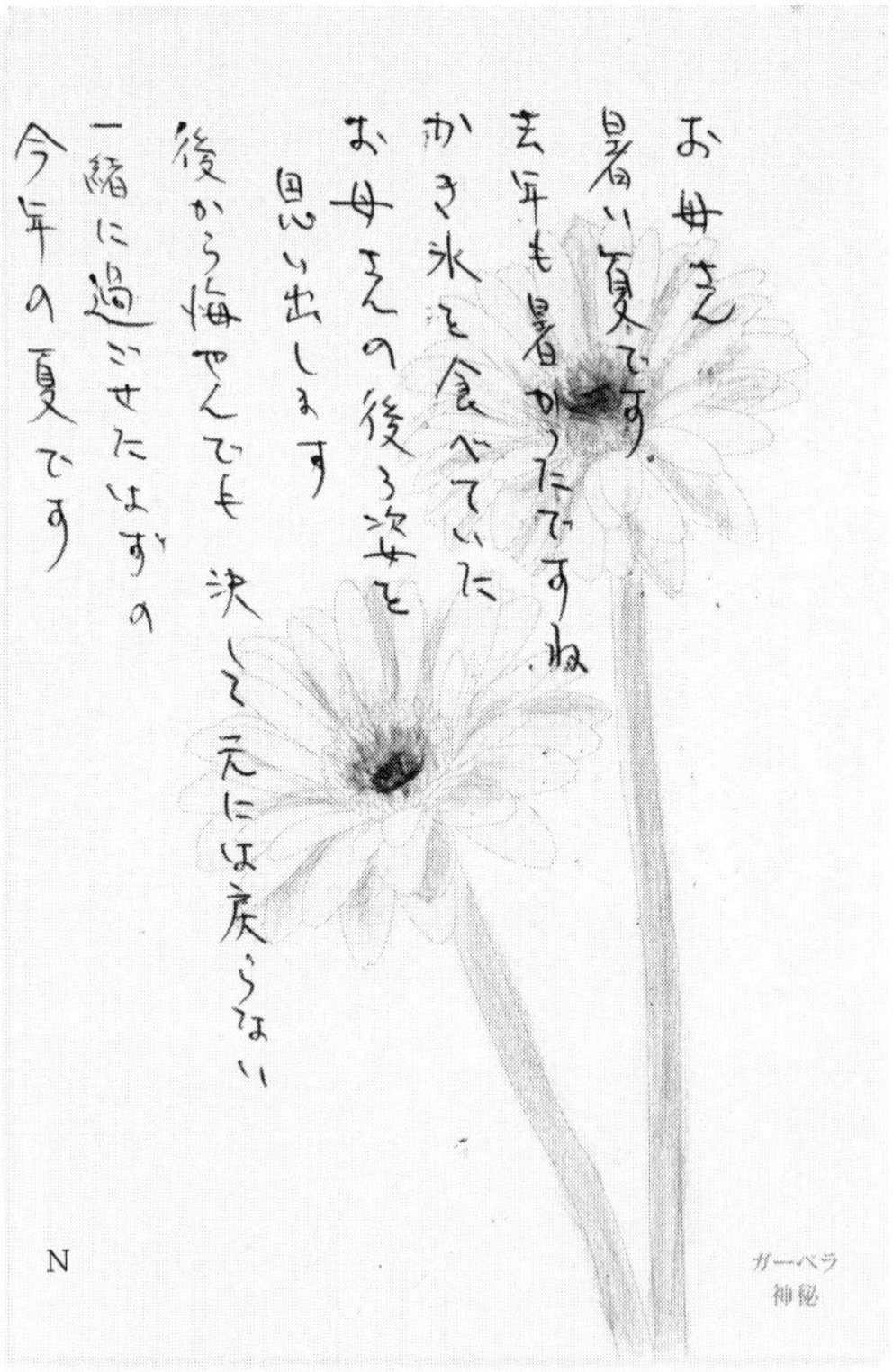
お母さん
暑い夏です。
去年も暑かったですね
かき氷を食べていた
お母さんの後ろ姿を
思い出します
後から悔やんでも　決して元には戻らない
一緒に過ごせたはずの
今年の夏です
N
ガーベラ
神秘

お母さん
暑い夏です。
去年も暑かったですね
かき氷を食べていた
お母さんの後ろ姿を
思い出します
後から悔やんでも
決して元には戻らない
一緒に過ごせたはずの
今年の夏です

N

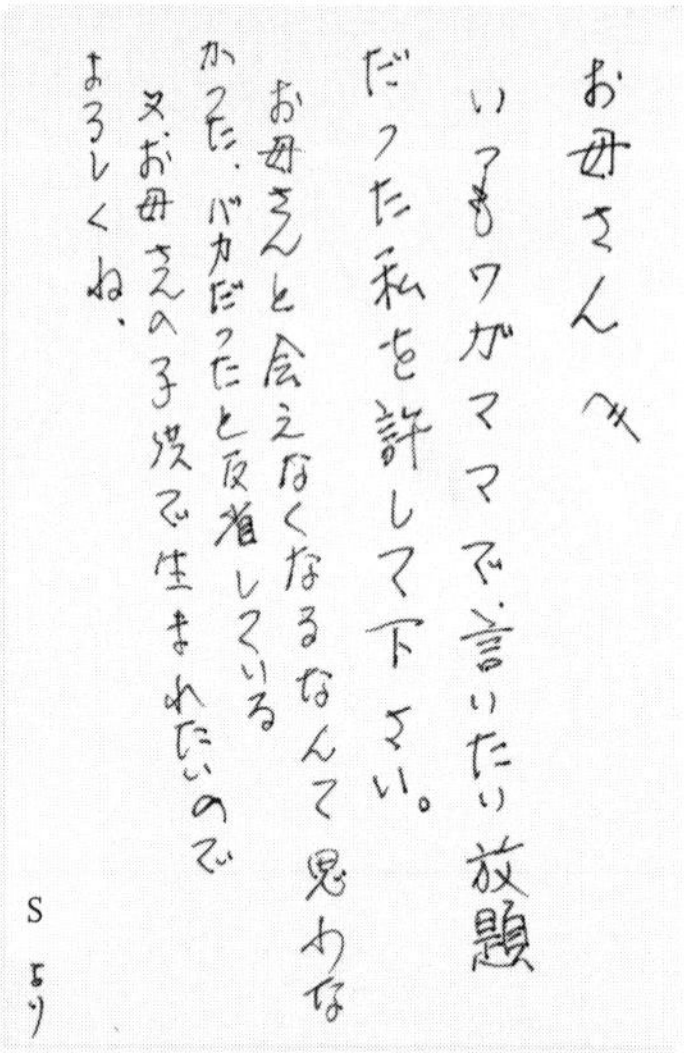
お母さんへ
いつもワガママで言いたい放題
だった私を許して下さい。
お母さんと会えなくなるなんて思わな
かった、バカだったと反省している
又お母さんの子供で生まれたいので
よろしくね、
S
より

お母さんへ
いつもワガママで、言いたい放題だった
私を許して下さい。
お母さんと会えなくなるなんて思わなかった、
バカだったと反省している
又、お母さんの子供で生まれたいので
よろしくね

Sより

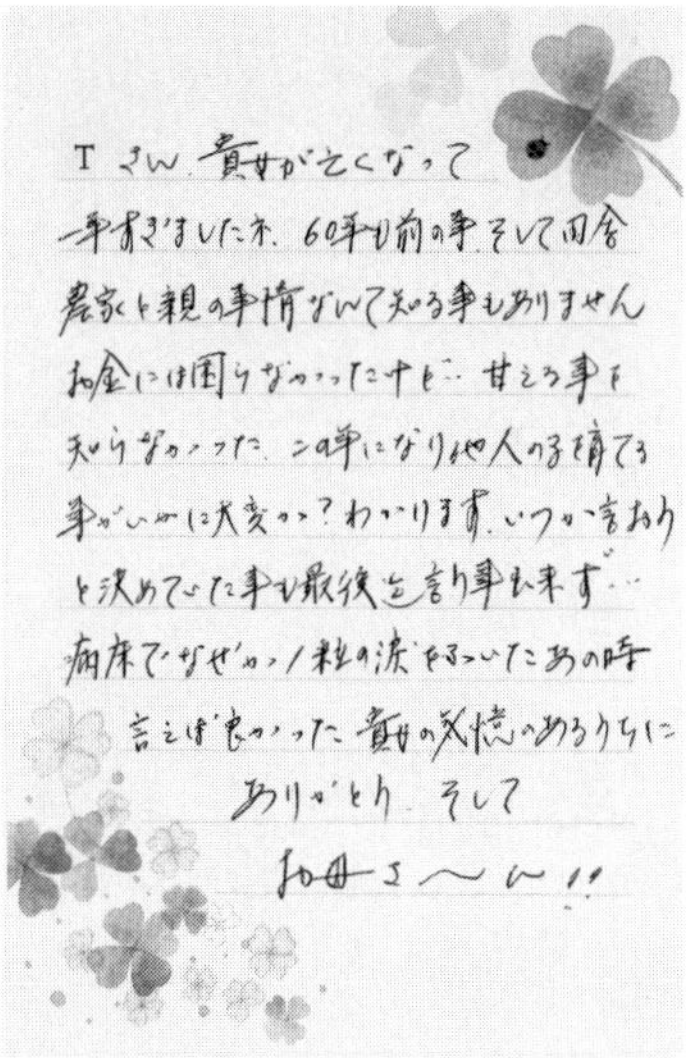

Tさん、貴女が亡くなって
一年過ぎましたネ。
60年も前の事、そして田舎
農家と親の事情なんて知る事もありません
お金には困らなかったけど
甘える事を知らなかった。
この年になり他人の子を育てる事が
いかに大変か？　わかります。
いつか言おうと決めていた事も
最後迄言う事出来ず…
病床でなぜか1粒の涙をふいたあの時
言えば良かった
貴女の気（記）憶のあるうちに
ありがとう、そして
お母さ〜ん!!

2月23日（日）2014

母さん元気にしていますか？

今日はこちらはスゴイ快晴で気持ちがいいよ！ おふとんやマクラ、洗濯物もたっくさん干してて本当に気持ちいいよっ。

今日は報告があって手紙を書いてるよ！

私達の入籍日が決まったんだ。3月23日に入籍することになったよ‼ いろいろと日にちを考えてはいたんだけど、なんだかんだ言ってこの日に決めたんだ。マリッジブルーってわけじゃないんだけど、いよいよってなってくると…なんだか変な気分だよ。もうこの名前（苗字）でいられるのも残り僅かなんだなーって思うと…ちょっと複雑です。この名前スキだし。でも、漸く父さんや母さんを安心させられるかなーって思うとそれは嬉しいよ。善（喜）んでくれるかな⁇ 善（喜）んでくれると私も嬉しいな。

3月の初めには、ばあちゃんトコに行って挨拶というか顔見せに行くのも決まったよ。短期間だけど…みんなに会いに行くよ。もちろん母さんのお墓参りにも行くからね。今までなんだかんだと行けずじまいだったからね。ごめんね。

3月はいろいろと動きがありそうでドキドキです。このまま順張（調）にいけばいいなーと思ってるんだ。

…そう言えば、結納の報告も遅くなってしまってごめんね。

またいろいろと手紙書くねっ。

み

2月23日(日)2014

母さん元気にしていますか?

今日はこちらはスゴイ快晴で気持ちがいいよ!おふとんやマクラ、洗濯物もたっくさん干してて本当に気持ちいいよっ☺"

今日は報告があって手紙を書いてるよ!私達の入籍日が決まったんだ。3月23日に入籍することになったよ!!いろいろと日にちを考えてはいたんだけど、なんだかんだ言ってこの日に決めたんだ。マリッジブルーってわけじゃないんだけど、いよいよ。てなってくると....なんだか変な気分だよ。もうこの名前(苗字)でいられるのも残り僅かなんだなーって思うと....ちょっと複雑です。この名前スキだし。でも、漸く父さんや母さんを安心させられるかなーって思うとそれは嬉しいよ。喜んでくれるかな??喜んでくれると私も嬉しいな✧✧

3月の初めには、ばあちゃんトコに行って挨拶というか顔見せに行くのも決まったよ☺短期間だけど....みんなに会いに行くよ。もちろん母さんのお墓参りにも行くからね。今までなんだかんだと行けずじまいだったからね。ごめんね。

3月はいろいろと動きがありそうでドキドキです。このまま順調にいけばいいなーと思ってるんだ。

....そう言えば、結納の報告も遅くなってしまってごめんね。

またいろいろと手紙書くねっ♪♪ (み)

沖縄県「琉球春爛漫」糸永 泰子　画

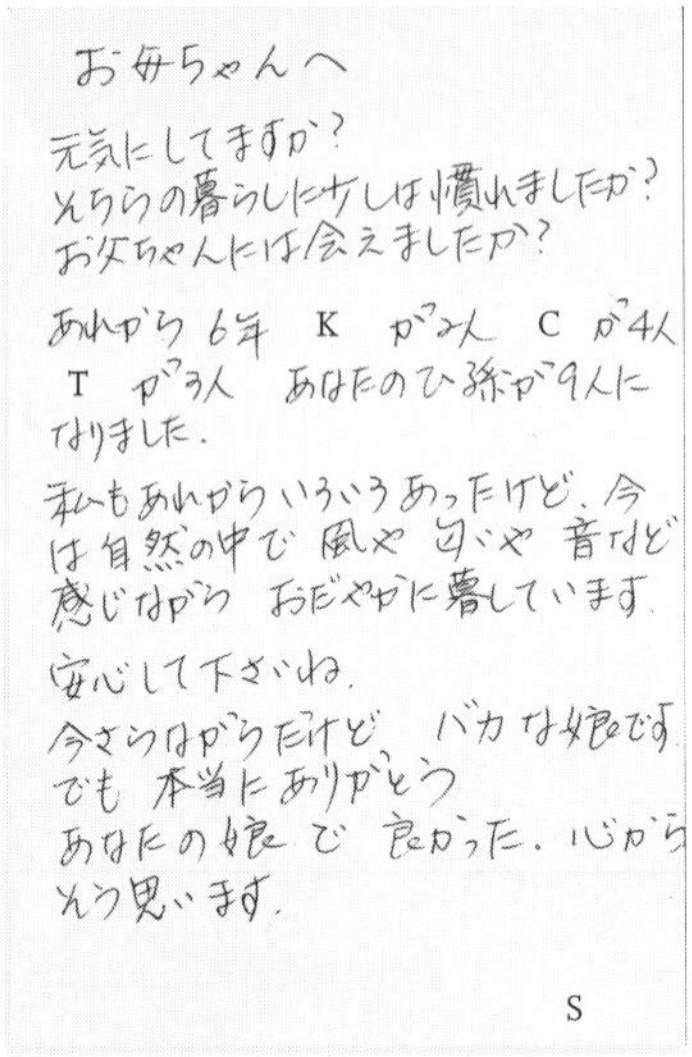
お母ちゃんへ

元気にしてますか？
そちらの暮らしに少しは慣れましたか？
お父ちゃんには会えましたか？

あれから6年　K　が2人　C　が4人
T　が3人　あなたのひ孫が9人に
なりました．

私もあれからいろいろあったけど．今
は自然の中で風や匂いや音など
感じながら　おだやかに暮しています．

安心して下さいね．

今さらながらだけど　バカな娘です．
でも本当にありがとう
あなたの娘で良かった．心から
そう思います．

S

お母ちゃんへ

元気にしてますか？
そちらの暮らしに少しは慣れましたか？
お父ちゃんには会えましたか？
あれから6年
Kが2人　Cが4人　Tが3人
あなたのひ孫が9人になりました。
私もあれからいろいろあったけど、
今は自然の中で風や匂いや音など
感じながらおだやかに暮（ら）しています
安心して下さいね。
今さらながらだけどバカな娘です。
でも本当にありがとう
あなたの娘で良かった。
心からそう思います。

S

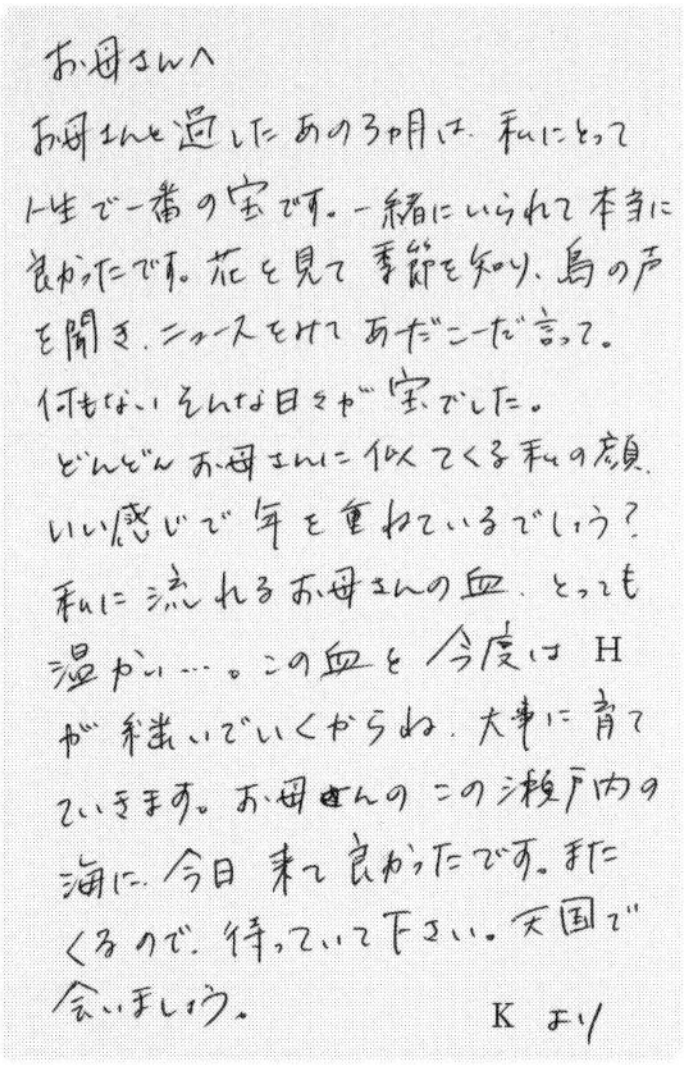
お母さんへ
お母さんと過したあの3ヶ月は、私にとって
人生で一番の宝です。一緒にいられて本当に
良かったです。花を見て季節を知り、鳥の声
を聞き、ニュースをみてあーだこーだ言って。
何もないそんな日々が宝でした。
どんどんお母さんに似てくる私の顔、
いい感じで年を重ねているでしょう？
私に流れるお母さんの血、とっても
温かい…。この血を今度はH
が継いでいくからね、大事に育て
ていきます。お母さんのこの瀬戸内の
海に今日来て良かったです。また
くるので、待っていて下さい。天国で
会いましょう。
K より

お母さんへ

お母さんと過（ご）したあの3ヶ月は、私にとって人生で一番の宝です。一緒にいられて本当に良かったです。花を見て季節を知り、鳥の声を聞き、ニュースをみてあーだこーだ言って。何もないそんな日々が宝でした。どんどんお母さんに似てくる私の顔、いい感じで年を重ねているでしょう？　私に流れるお母さんの血、とっても温かい…。この血を今度はHが継いでいくからね、大事に育てていきます。お母さんのこの瀬戸内の海に、今日来て良かったです。またくるので、待っていて下さい。天国で会いましょう。

Kより

M母さん

先日、はじめて夢に出て来てくれましたね
お母さんの部屋のベット（ド）に、私の好き
だったピンクのセーター着てました。
何となく〝お母さん死んだのに〟と
私が思ったら、お母さんが、急に
〝あっもう行かないけん〟とたちあがったから
〝ちょっとまって〟と手にふれたらぽよぽよで、
あったかい、お母さんの手でした。

それから、2人でベット（ド）にすわって
写真みながら話しました。
お母さんの手のぬくもりが、今もありますよ。
起きて1日泣いてました。
でもね、母さん、ありがとう。
私ね、ほんとにお母さんの所に行きたいん
だけど、会いに来てくれたんだね、
ありがとう、ありがとう

M

M　母さん

先日、はじめて夢に出て来てくれましたね。
お母さんの部屋のベットに、私の好きだった
ピンクのセーター着てました。
何となく"お母さん死んだのに"と
私が思ったら、お母さんが、急に
"あっもう行かないけん"とたちあが
ったから、"ちょっとまって"と手にふれたら
ぽよぽよで、あったかい、お母さんの手
でした。それから、2人でベットにすわって
写真みながら話しました。
お母さんの手のぬくもりが、今もありますよ。
起きて1日泣いてました。
でもね、母さん、ありがとう。
私ね、ほんとにお母さんの所に行きたいん
だけど、会いに来てくれたんだね。
ありがとう。　ありがとう　M

母から母へ。どんな思いで綴ったのか、今はもうわからないけれど

華やかなカーネーションに、力強いさつまいも、愛らしいつくし。独特のタッチで描かれた絵と印象的な言葉の絵手紙は、一度見たら忘れられません。これらはすべて、久美子さんが、お母さまのヒサ子さんに宛てて漂流郵便局に出されたはがきです。

それぞれ、住所が書かれた宛名面には、「お母ちゃん、お元気ですか。69才になりました。皆元気でいるから安心してね。お父ちゃんと仲良くしていますか」「ひ孫たち3人が一年生になりました。報告に来てくれて、楽しいひとときを過ごしました」「今年もお父さんがさつまいもつくったよ！」など、ひと言、メッセージが添えられていました。

実は、続編となる本書をつくろうと編集部が動き出したのは2年前。素敵な絵手紙を描かれた久美子さんに取材でお会いすることになっていたのですが、諸事情あって本の発売が延期に。いつか本の発売が決まったら、あらためて取材させてください、お会いしまし

ょう、とご連絡を差し上げていました。
その後、本の発売が決まり、再び久美子さんに連絡を差し上げたのですが、なかなかつながらず、これが最後と、ご自宅にファックスをお送りしたところ、娘の由香里さんから、すぐに折り返しのお電話をいただいたのです。
「偶然、母の家で片付けをしているときにファックスが届き、本当に驚きました。母は亡くなる前、〝漂流郵便局の本が出る。それに自分の手紙が掲載される〟といっていました。でも、本（前作）を探しても母のはがきは載っていなくて。母の勘違いかなと思っていたら、そういうことだったんですね…。母は昨年（2019年）8月、突然、心筋梗塞で倒れ、74歳で亡くなりました。あまりに突然のことだったので、私たち家族もまだ母の死を受け止め切れていなくて…。母はきっと、取材や掲載を楽しみにしていたんでしょう。漂流郵便局のことは、うわごとのように何度もいっていました。母・久美子がどんな想いで、その母・ヒサ子に絵手紙を描いていたのか、今はもうわかりませんが…」

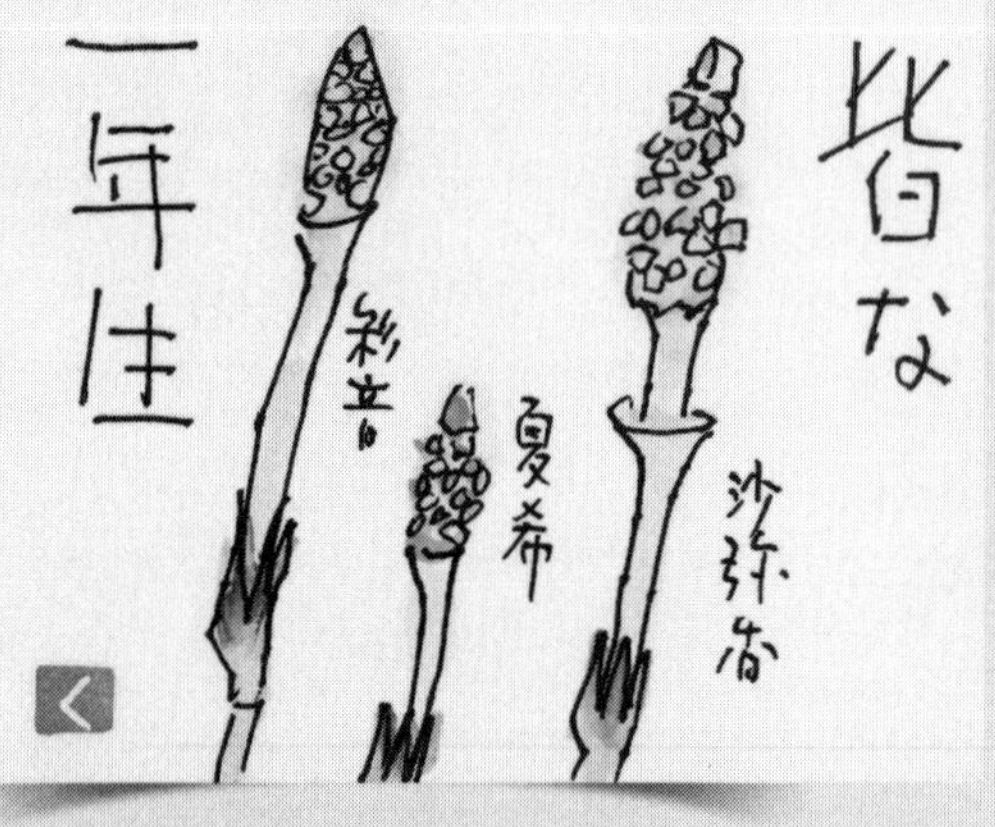

涙ながらにそう話してくださった由香里さんは、漂流郵便局に届いた久美子さんの絵手紙を見て、〝もう一度母に会えた気がする〟と喜んでくださいました。

「市役所で定年まで働いていた母は、明るく陽気、パワフルな人。定年後も多趣味で、手話教室や絵手紙教室に通っていました。なかでも絵手紙は長く続けていて、私や孫によく絵手紙を送ってくれました。友人も多く、気が若くて、娘の私たちとも友達のような関係でしたね。最近は〝これ、絵のネタになるかしら〟と、常に絵の題材を探していましたっけ。そういえば、母の母、ヒサ子も俳句や詩吟など趣味が多く、地元の婦人会の役員をやったりしてとってても社交的。とってもパワフルなおばあちゃんでした。遺伝でしょうか」

それにしても、漂流郵便局というのは、不思議な場所ですね、と由香里さん。

「郵便局に届いた絵手紙が、巡り巡って私の元に。こうやって母の話をすることで、母がすぐそばにいるような気がします。香川県に住む母は、粟島も近いため、実際に漂流郵便局に足を運んだことがあるようです。〝漂流郵便局という場所があって、そこでお母ちゃんに会えた〟と生前、いっていました。そのときは、へえ、そんな場所があるんだ、程度に思っていたんですが、これもご縁。私も、子どもたちを連れて一度行ってみようと思います。そして、そこで母に手紙を書こうかな。〝お元気ですか。寂しいけど、なんとかやってるよ。そうそう、お母さんの絵手紙、4枚も本に取材を受けたよ。載るからね、楽しみにしていてね〟と」

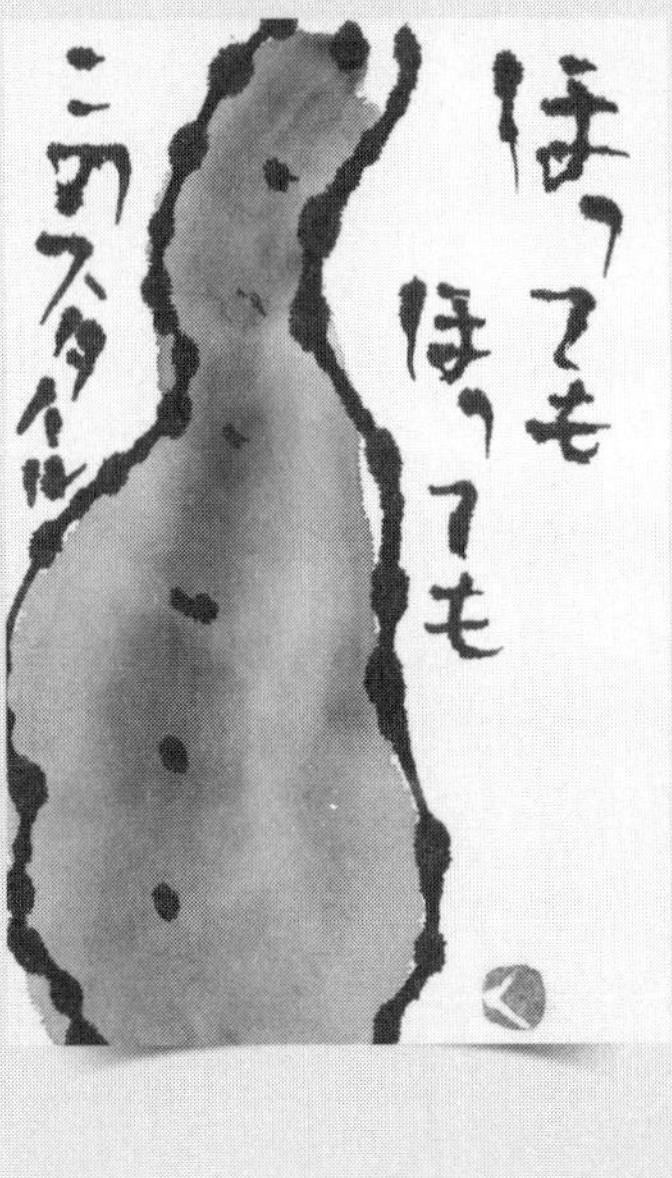

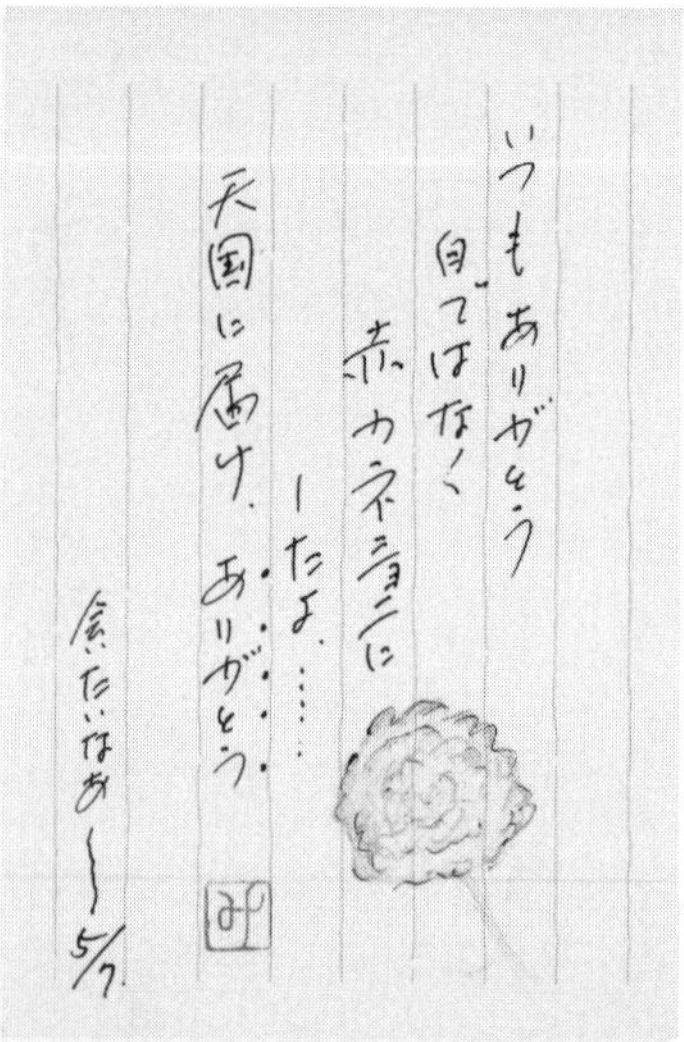
いつもありがとう
白ではなく
赤カネーションに
したよ……
天国に届け、ありがとう
会いたいなあ〜〜 5/7
み

いつもありがとう
白ではなく
赤カ（ー）ネションに
したよ……
天国に届け、ありがとう
会いたいなあ〜〜　5／7

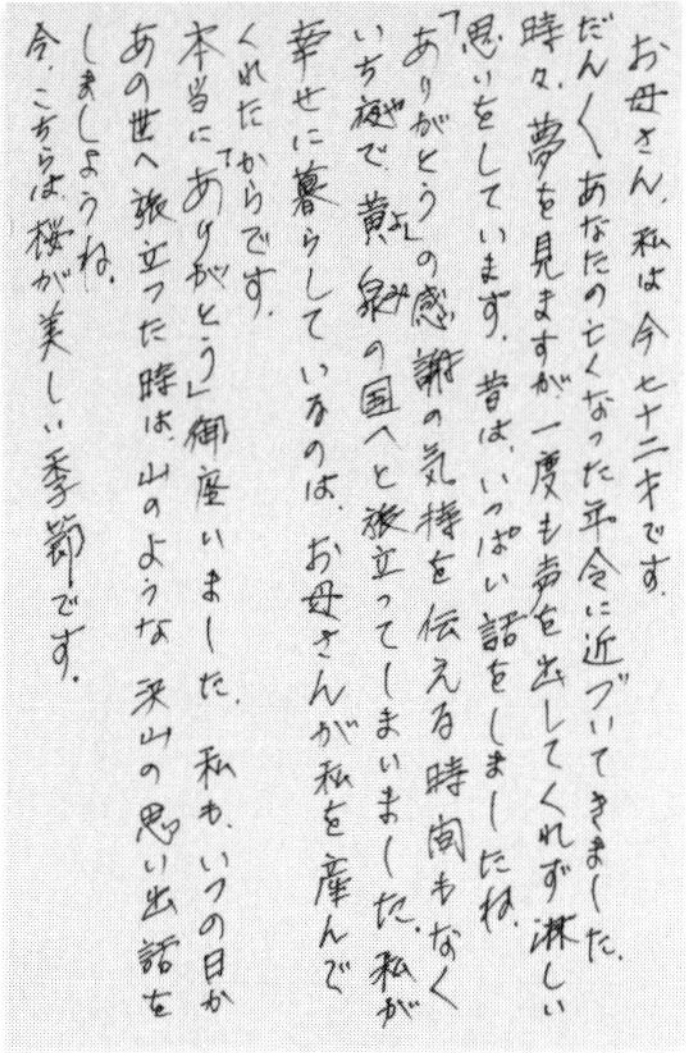

お母さん、私は今七十二才です。
だんだんあなたの亡くなった年令に近づいてきました。
時々、夢を見ますが、一度も声を出してくれず淋しい
思いをしています。昔は、いっぱい話をしましたね。
「ありがとう」の感謝の気持を伝える時間もなく
いち夜《や》で黄泉《よみ》の国へと旅立ってしまいました。私が
幸せに暮らしているのは、お母さんが私を産んで
くれたからです。
本当に「ありがとう」御座いました。私も、いつの日か
あの世へ旅立った時は、山のような沢山の思い出話を
しましょうね。
今、こちらは桜が美しい季節です。

お母さん、私は今七十二才です。
だんだんあなたの亡くなった
年令に近づいてきました。
時々、夢を見ますが、一度も声を出してくれず
淋しい思いをしています。
昔は、いっぱい話をしましたね。
「ありがとう」の感謝の気持を
伝える時間もなく
いち夜《や》で黄泉《よみ》の国へと旅立ってしまいました。
私が幸せに暮らしているのは、
お母さんが私を産んでくれたからです。
本当に「ありがとう」御座いました。
私も、いつの日かあの世へ旅立った時は、
山のような沢山の思い出話をしましょうね。
今、こちらは桜が美しい季節です。

こんにちは。Aです。

私はもう20歳になって、Nくんなんてこの間結婚式を挙げました。Nくんは就職もしてお嫁さんももらって頑張っているみたいだけど、私は全然です。とりあえずもっとちゃんと生活して、早く私も親孝行します。あれから3年半ほど過ぎますが、感謝の気持ちを伝えることのないままお別れになってごめんなさい。わがままばっかり、可愛気のない娘で、つまらないことでたくさん傷つけてしまったこと申し訳なく思っています。とにかくここまで元気に暮らせてきたのはお母ちゃんがどんな時も私の背中を押してくれて、必死に育ててくれたからです。本当にありがとう。お父ちゃんのことも、大事にします。きちんと自律(立)した大人になるよう、見守っていてくれると嬉しいです。頑張るね。家に帰る機会もだいぶ少なくなったけど、帰った時はちゃんと顔見てお焼香します。

次手紙書くのは、結婚する時かな〜？（笑）気長に待っとってください。では。

A

こんにちは。A　です。

私はもう20歳になって、Nくんなんてこの間結婚式を挙げました。Nくんは就職もしてお嫁さんももらって頑張っているみたいだけど、私は全然です。とりあえずもっとちゃんと生活して、早く私も親孝行します。

あれから3年半ほど過ぎますが、感謝の気持ちを伝えることのないままお別れになってごめんなさい。

わがままばっかり、可愛気のない娘で、つまらないことでたくさん傷つけてしまったこと申し訳なく思っています。

とにかくここまで元気に暮らせてきたのは お母ちゃんがどんな時も私の背中を押してくれて、必死に育ててくれたからです。本当にありがとう。

お父ちゃんのことも、大事にします。

きちんと自律した大人になるよう、見守っていてくれると嬉しいです。頑張るね。

家に帰る機会もだいぶ少なくなったけど、帰った時はちゃんと顔見てお焼香します。

次手紙書くのは、結婚する時かな〜？(笑)

気長に待っとってください。では。　A

3年前に天国へ旅立った母へ

〝母ちゃん〟昔のようにそう呼ばせてネ。

（大学に入学した時、見栄をはって〝お母さん〟と呼んでいたので。）

大学まで行かせてもらったのに、親の望んでいた仕事にもつかず、反対を押し切って結婚したのに、離婚して、さんざん親不幸（孝）してきた、バカな娘です。

60代になって今は後悔することばかりです。

元気な時は言いたいことを言って、ケンカした時もあったけど、年をとって、母が病気になった時、「母ちゃん、今までごめんなさい♡大好きだよ」と言って抱きしめてあげたかったけど、その時は気恥ずかしくて、出来ませんでした。

ごめんなさい。

漂流郵便局で、私の気持が天国の母ちゃんに届きますように…。

「母ちゃん、大好きだよ〜！」

今まで、ありがとう〜。

〈追伸〉

天国でもお父さんと仲良くネ!!

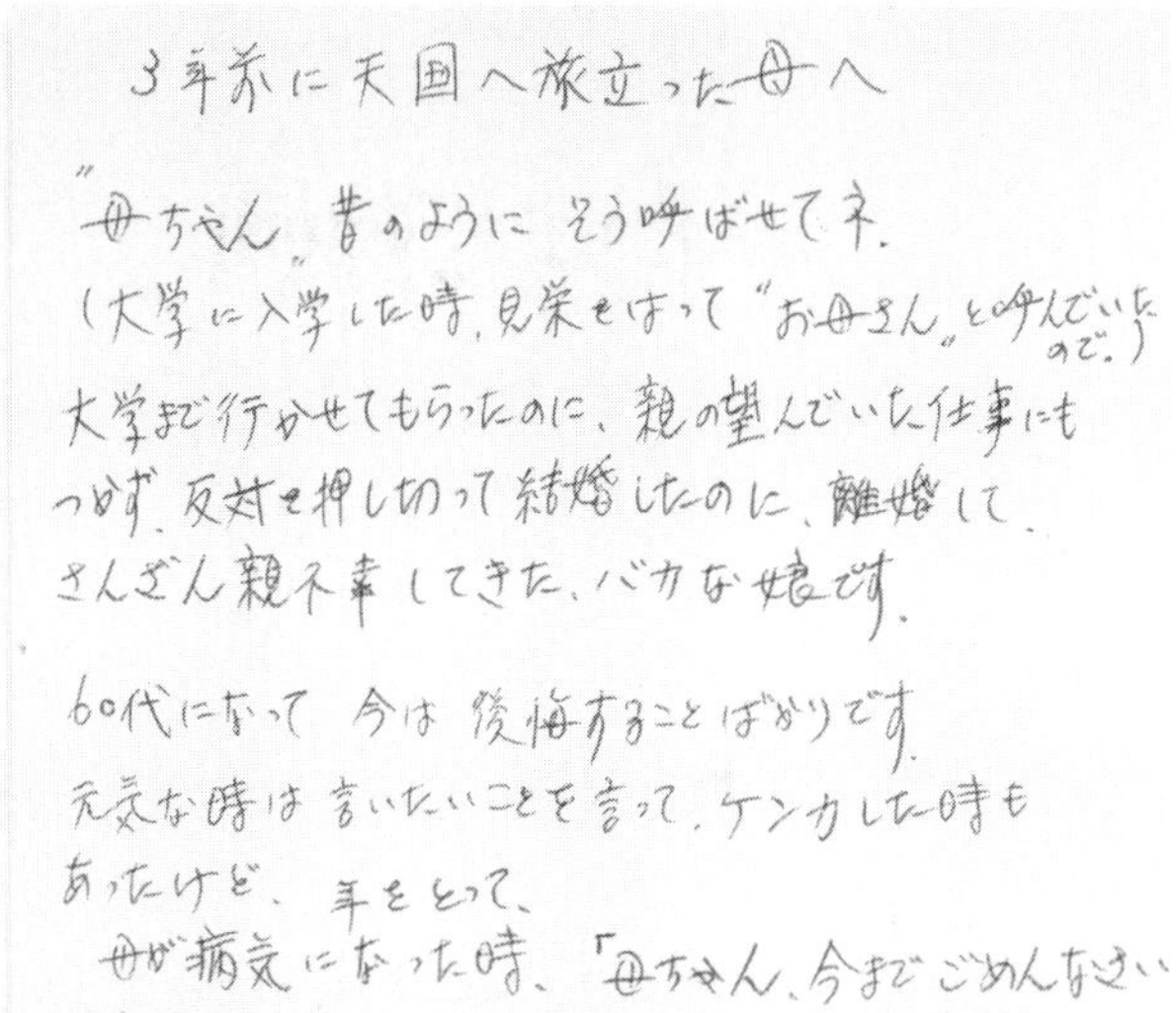

3年前に天国へ旅立った母へ

"母ちゃん" 昔のように そう呼ばせてネ。
(大学に入学した時、見栄をはって"お母さん"と呼んでいたので。)
大学まで行かせてもらったのに、親の望んでいた仕事にもつかず、反対を押し切って結婚したのに、離婚して、さんざん親不幸してきた、バカな娘です。

60代になって 今は 後悔することばかりです。
元気な時は 言いたいことを言って、ケンカした時もあったけど、年をとって、
母が病気になった時、「母ちゃん、今までごめんなさい♡大好きだよ」と言って抱きしめてあげたかったけど、
その時は気恥ずかしくて、出来ませんでした。
ごめんなさい。
漂流郵便局で、
私の気持が天国の母ちゃんに届きますように……。

「母ちゃん、大好きだよ〜!」
今まで、ありがとう〜。

〈追伸〉
天国でもお父さんと仲良くネ!!

© Fujiko - Pro, Shogakukan, and TV Asahi

まだまだ、教えてもらいたいことがいっぱいあります

半信半疑で出したはがきは、宛先人不明で戻ってくることはなかった。母に届いた、思い切って出してよかった——。

「母が亡くなって4年経っても、まだその死を受け入れられず、フヌケ状態が続いていたある日、テレビの向こうでアナウンサーの夏目三久さんが、ぽろぽろと大粒の涙を流しながら手紙を読んでいる姿を見たんです。漂流郵便局に届いた手紙でした。それまでに20～30枚、母への感謝や後悔、日々の何気ないできごとを手紙に書いては捨てて…を繰り返していました。そんな場所があるなら出そう、とすぐに筆をとりました」

あれほど伝えたいことがあったはずなのに、いざ出すとなると、驚くほどそっけない文章になってしまった、とYさん。

「でも、書き終えてポストに投函した瞬間、気持ちがスッキリしたんです。母への手紙は、後にも先にもこの1枚だけです」

Yさんが幼いころ、お父さまが亡くなり、すぐに再婚したというお母さま。

「相手は父の弟でした。田舎ですし、時代と

いうのもありますが、母は私のためにその選択をしたんだと思います。弟たちが生まれた後も、両親にはわけへだてなく育ててもらったけれど、母にはちょっと反発していました。母の気持ちもがんばりも痛いくらいわかっていたのに、同性ゆえの反発心でしょうか…」

洋裁、和裁、編み物が得意で、セーターもたくさん編んでくれたとか。

「よく美容院に行き、身ぎれいにして、料理本を参考にお菓子をつくってくれたりも。明るく社交的、男性にもはっきり意見するなど、田舎では目立つ存在だったと思います。そんな母を内心自慢に思っていたのに、友達の母親と違うのが恥ずかしくて、思春期はとくに反発…。自分が母になってからも終始、頼りっぱなしだったのにささいなことでけんかを繰り返し、最後まで母の気持ちに寄り添えなかった。料理も裁縫も、まだまだ教わりたいことが山のようにあったのに、教えて、といえなかった…。これは初めて、伝えたかったことを心から素直に書けた一枚。それが母に届いたと思うと心底うれしいのです」

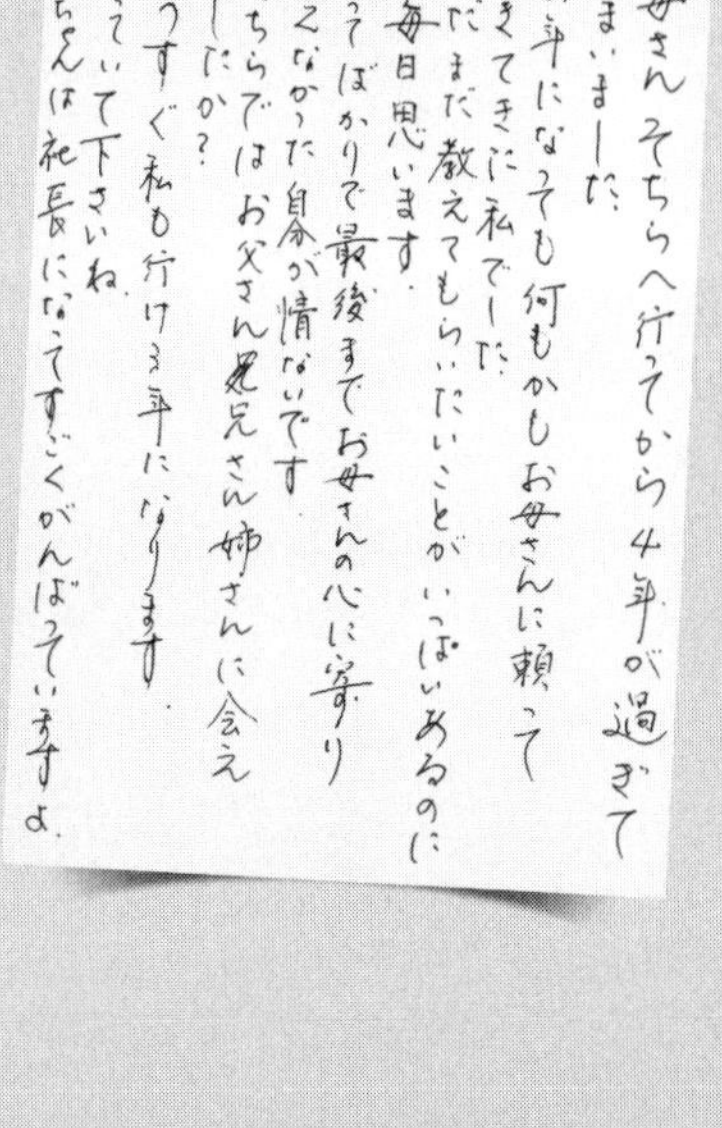
お母さん そちらへ行ってから4年が過ぎて
しまいました。
この年になっても何もかもお母さんに頼って
生きてきた私でした
まだまだ教えてもらいたいことがいっぱいあるのに
と毎日思います。
頼ってばかりで最後までお母さんの心に寄り
そえなかった自分が情ないです
そちらではお父さん兄さん姉さんに会え
ましたか？
もうすぐ私も行ける年になります
待っていて下さいね。
光ちゃんは社長になってすごくがんばっていますよ。

「ありがとう」と何げなく言葉にして伝えることは時折ありますが、今回あらためて手紙を書きます。
今年で41才になりました。人生の折り返し点は過ぎたかなと思うこの頃、2人の子どもに恵まれ幸せに暮らしています。子どもが産まれて変わったことがありました。自分の誕生日です。これまでは、自分が生まれた日という考えでしたが、子どもができてからは、母が自分を産んでくれた日と考えが変わりました。誕生日は1月なので、寒かったかなとか、大きなお腹で年末年始を過ごしたんだなとか、いろいろ…。あらためて伝えたいことは、産んでくれて、育ててくれて「ありがとう」という感謝の気持ちです。これからも元気に長生きして、僕ら家族のことを見守っていてください。同じ親として、それが楽しみなのかなと思っています。

T

「ありがとう」と何げなく言葉にして伝えることは時折ありますが、今回あらためて手紙を書きます。

今年で41才になりました。人生の折り返し点は過ぎたかなと思うこの頃、2人の子どもに恵まれ幸せに暮らしています。子どもが産まれて変わったことがありました。自分の誕生日です。これまでは、自分が生まれた日という考えでしたが、子どもができてからは、母が自分を産んでくれた日と考えが変わりました。誕生日は1月なので、寒かったかなとか、大きなお腹で年末年始を過ごしたんだなとか、いろいろ…。あらためて伝えたいことは、産んでくれて、育ててくれて「ありがとう」という感謝の気持ちです。これからも元気に長生きして、僕ら家族のことを見守っていてください。

同じ親として、それが楽しみなのかなと思っています。

T

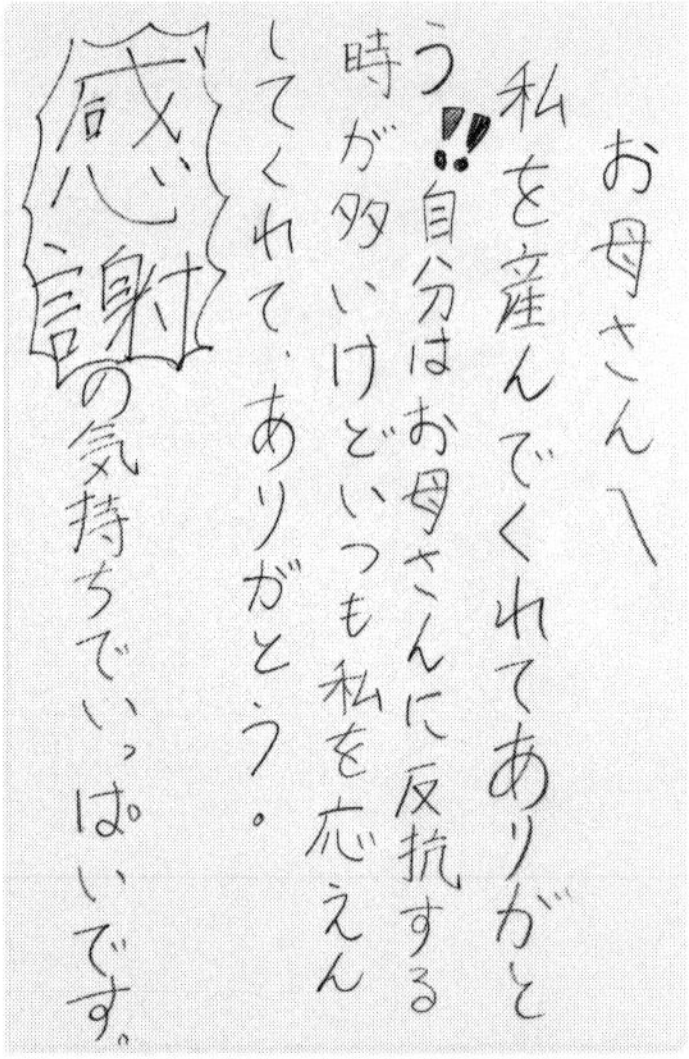
お母さんへ
私を産んでくれてありがと
う!!自分はお母さんに反抗する
時が多いけどいつも私を応えん
してくれて、ありがとう。
感謝の気持ちでいっぱいです。

お母さんへ

私を産んでくれてありがとう!!
自分はお母さんに反抗する時が多いけど
いつも私を応えんしてくれて、ありがとう。
感謝の気持ちでいっぱいです。

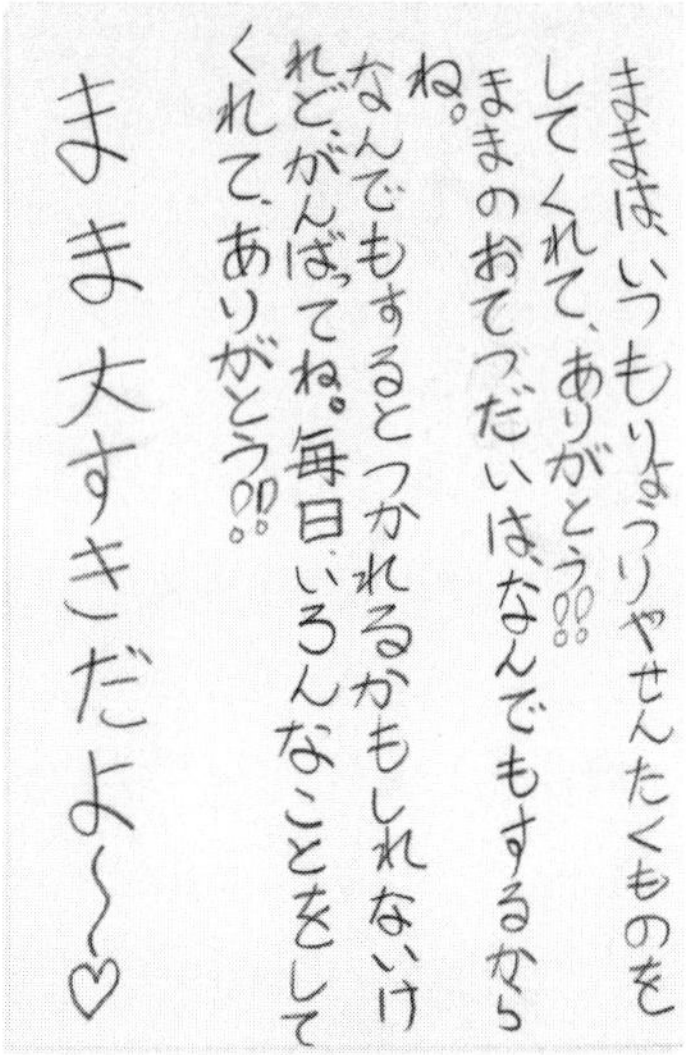
ままはいつもりょうりやせんたくものを
してくれて、ありがとう!!
ままのおてつだいは、なんでもするから
ね。
なんでもするとつかれるかもしれない、いけ
れど、がんばってね。毎日いろんなことをして
くれて、ありがとう!!
まま大すきだよ〜♡

ままは、いつもりょうりやせんたくものを
してくれて、ありがとう!!
ままのおてつだいは、
なんでもするからね。
なんでもすると
つかれるかもしれないけれど、
がんばってね。
毎日いろんなことをしてくれて、
ありがとう!!
まま大すきだよ〜♡

いつも夜遅くまでお仕事ご苦労様
です。どれだけ仕事で嫌なこと
があっても、絶対に途中で放り
投げたりせず、責任をもって作業を
こなす母は本当に強い人だなと思
います。考え方が白黒ハッキリして
いる母が嫌だと思う時期もあった
けれど、今では母の尊敬できる点、
となりました。なかなか素直に
なれなくて、迷惑ばかりかけてすみ
ません。いつも本当にありがとう。

いつも夜遅くまでお仕事ご苦労様です。
どれだけ仕事で嫌なことがあっても、
絶対に途中で放り投げたりせず、
責任をもって作業をこなす母は
本当に強い人だなと思います。
考え方が白黒ハッキリしている母が
嫌だと思う時期もあったけれど、
今では母の尊敬できる点となりました。
なかなか素直になれなくて、
迷惑ばかりかけてすみません。
いつも本当にありがとう。

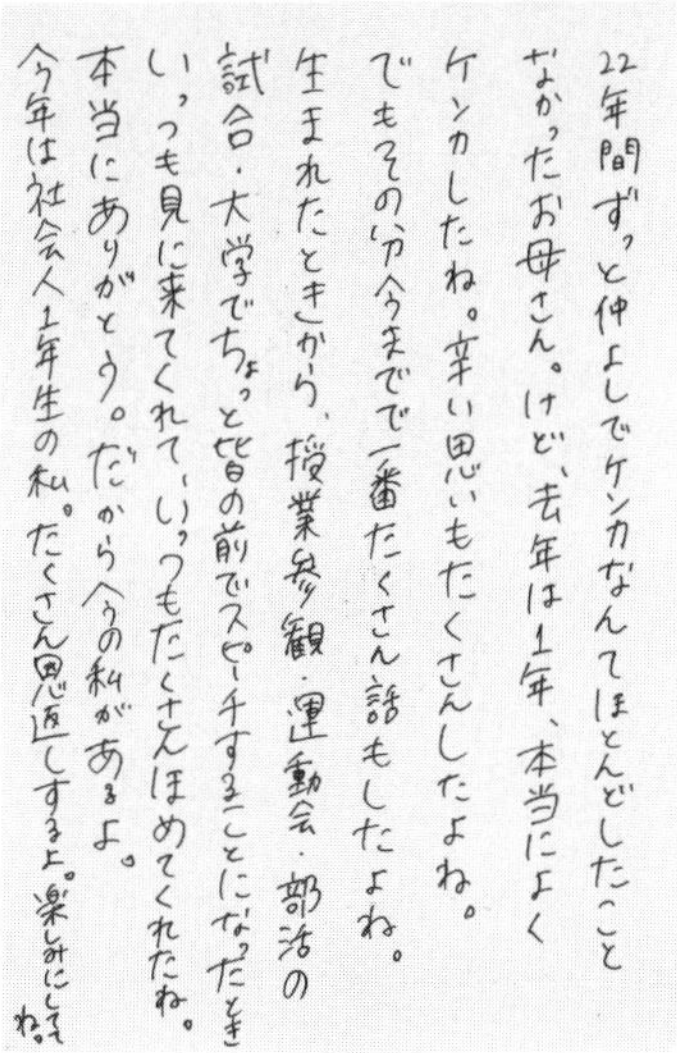
22年間ずっと仲よしでケンカなんてほとんどしたこと
なかったお母さん。けど、去年は1年、本当によく
ケンカしたね。辛い思いもたくさんしたよね。
でもその分今までで一番たくさん話もしたよね。
生まれたときから、授業参観・運動会・部活の
試合・大学でちょっと皆の前でスピーチすることになったとき
いっつも見に来てくれて、いっつもたくさんほめてくれたね。
本当にありがとう。だから今の私があるよ。
今年は社会人1年生の私。たくさん恩返しするよ。楽しみにしててね。

22年間ずっと仲よしでケンカなんてほとんどしたことなかったお母さん。けど、去年は1年、本当によくケンカしたね。辛い思いもたくさんしたよね。でもその分今までで一番たくさん話もしたよね。生まれたときから、授業参観・運動会・部活の試合・大学でちょっと皆の前でスピーチすることになったときいっつも見に来てくれて、いっつもたくさんほめてくれたね。本当にありがとう。だから今の私があるよ。今年は社会人1年生の私。たくさん恩返しするよ。楽しみにしててね。

母ちゃんへ

昔から自分が思うままに生きて
無茶ばかりしてきました。
相談じゃなく報告ばっかりで
ほんまに頭かかえただろうな、と思います。
初めて家を出た16才。
あの時の母ちゃんの姿は今でも覚えてます。
すごく怒りながらも見送る時の
心配や寂しさは伝わってきました。
自分勝手に出てったのに、
泣きながら帰ってきた時は
一緒に悲しんでくれて優しく
迎えてくれたよね。

帰る場所が有ること、
待っててくれる家族がおることを（が）
すごく嬉しく、同時にホッとしました。
今では離れて暮らすことがあたり前になって
私が母ちゃんを心配することが増えました。
無理はせんと体には気をつけて下さい。
心配かけすぎた22年間。
ずっと向き合おうとしてくれる母ちゃんに
ほんまに感謝しています。
いつもいつもありがとう。

娘より

母ちゃん へ

昔から自分が思うままに生きて
無茶ばかりしてきました。

相談じゃなく報告ばっかりで
ほんまに頭かかえただろうな、と思います。

初めて家を出た16才。
あの時の母ちゃんの姿は今でも覚えてます。
すごく怒りながらも見送る時の心配や寂しさは
伝わってきました。
自分勝手に出てったのに、泣きながら帰ってきた時は
一緒に悲しんでくれて優しく迎えてくれたよね。
帰る場所が有ること、待っててくれる家族がおることを
すごく嬉しく、同時にホッとしました。

今では離れて暮らすことがあたり前になって
私が母ちゃんを心配することが増えました。
無理はせんと体には気をつけて下さい。

心配かけすぎた22年間。
ずっと向き合おうとしてくれる母ちゃんに
ほんまに感謝しています。

いつもいつもありがとう。

娘より

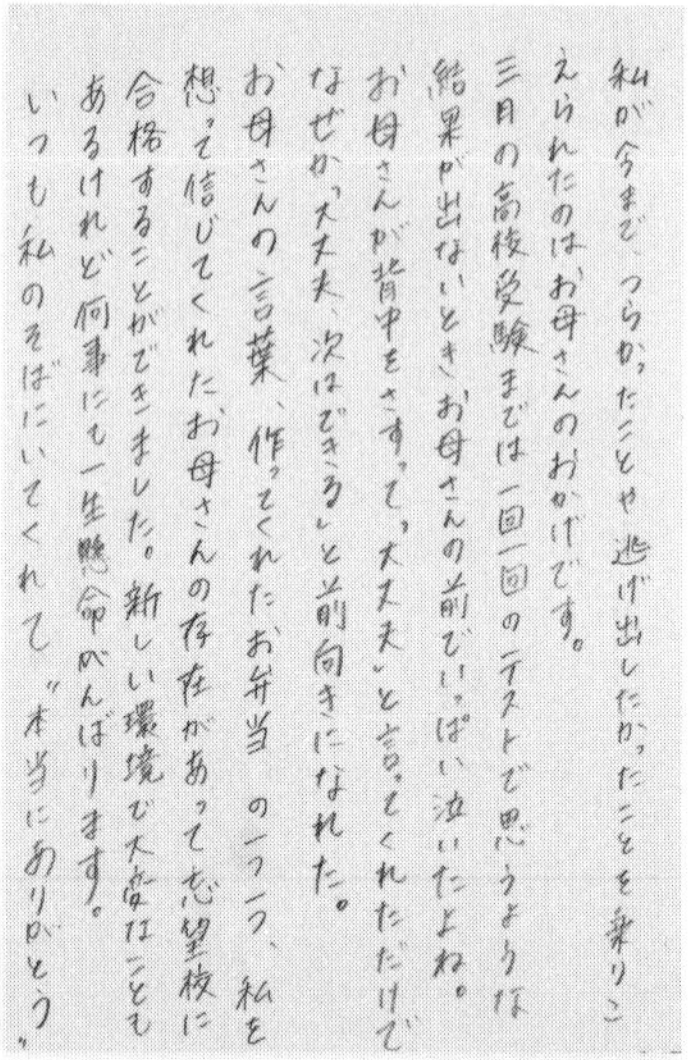
私が今まで、つらかったことや逃げ出したかったことを乗りこえられたのはお母さんのおかげです。
三月の高校受験までは一回一回のテストで思うような結果が出ないときお母さんの前でいっぱい泣いたよね。お母さんが背中をさすって「大丈夫」と言ってくれただけでなぜか「大丈夫、次はできる」と前向きになれた。
お母さんの言葉、作ってくれたお弁当の一つ一つ、私を想って信じてくれたお母さんの存在があって志望校に合格することができました。新しい環境で大変なこともあるけれど何事にも一生懸命がんばります。
いつも私のそばにいてくれて〝本当にありがとう〟

私が今まで、つらかったことや逃げ出したかったことを乗りこえられたのはお母さんのおかげです。

三月の高校受験までは一回一回のテストで思うような結果が出ないときお母さんの前でいっぱい泣いたよね。お母さんが背中をさすってくれただけでなぜか「大丈夫」と言ってくれただけでなぜか「大丈夫、次はできる」と前向きになれた。

お母さんの言葉、作ってくれたお弁当の一つ一つ、私を想って信じてくれたお母さんの存在があって志望校に合格することができました。

新しい環境で大変なこともあるけれど何事にも一生懸命がんばります。

いつも私のそばにいてくれて

〝本当にありがとう〟

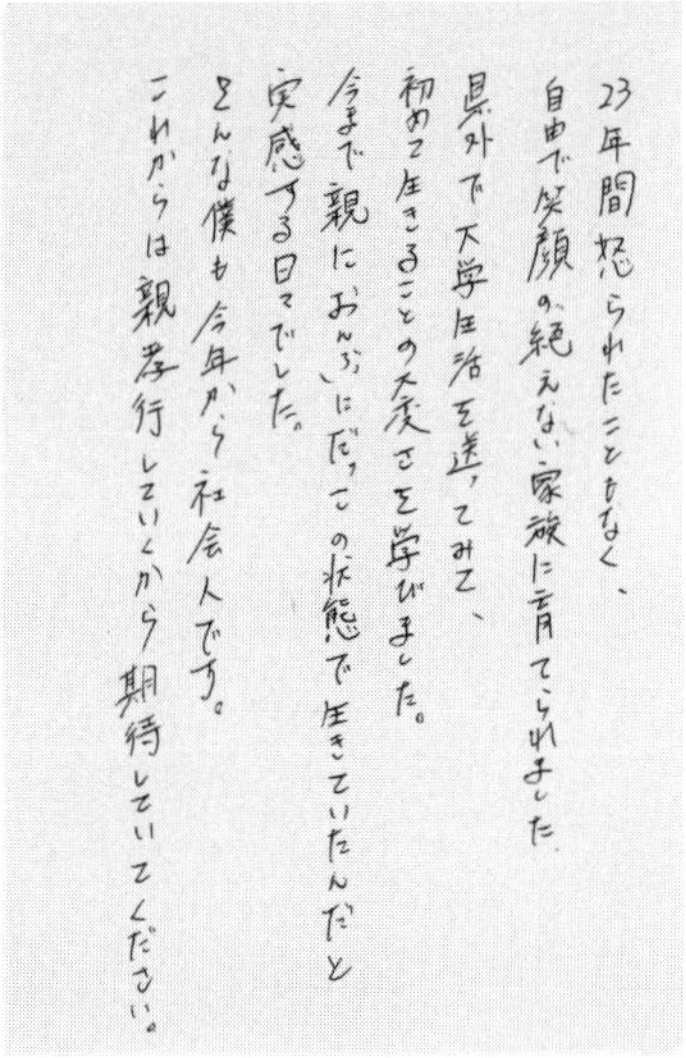
23年間怒られたこともなく、
自由で笑顔の絶えない家族に育てられました
県外で大学生活を送ってみて、
初めて生きることの大変さを学びました。
今まで親におんぶにだっこの状態で生きていたんだと
実感する日々でした。
そんな僕も今年から社会人です。
これからは親孝行していくから期待していてください。

23年間怒られたこともなく、
自由で笑顔の絶えない家族に育てられました
県外で大学生活を送ってみて、
初めて生きることの大変さを学びました。
今まで親におんぶにだっこの状態で
生きていたんだと
実感する日々でした。
そんな僕も今年から社会人です。
これからは親孝行していくから
期待していてください。

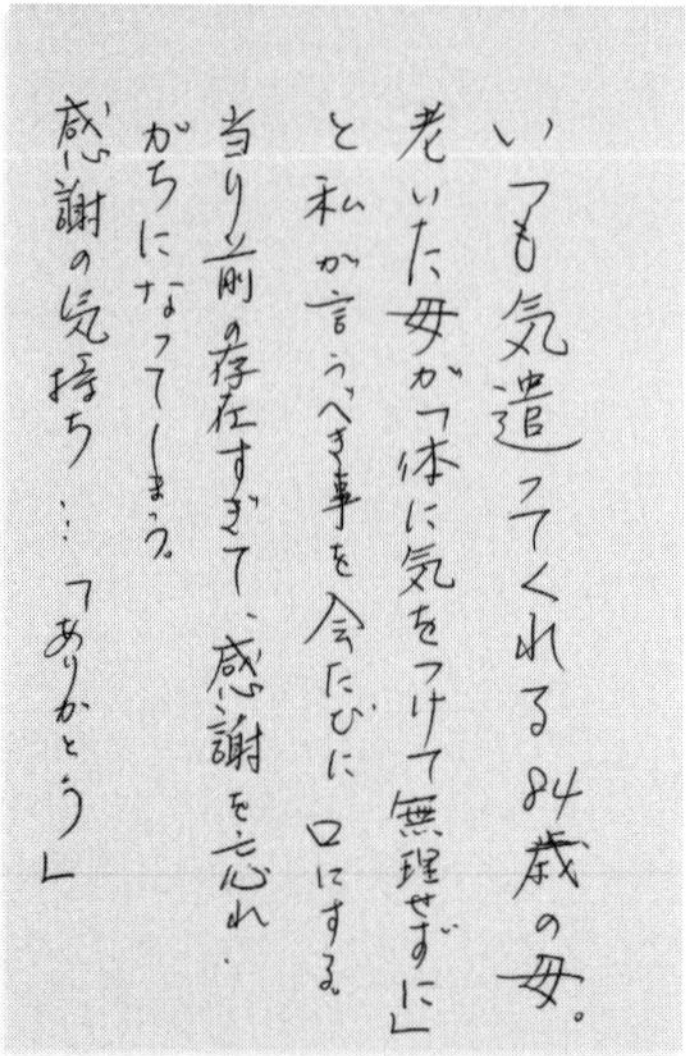
いつも気遣ってくれる84歳の母。
老いた母が「体に気をつけて無理せずに」
と私が言うべき事を会うたびに口にする。
当り前の存在すぎて、感謝を忘れ
がちになってしまう。
感謝の気持ち…「ありがとう」

いつも気遣ってくれる84歳の母。
老いた母が「体に気をつけて無理せずに」
と私が言うべき事を
会（う）たびに口にする。
当（た）り前の存在すぎて、
感謝を忘れがちになってしまう。
感謝の気持ち…「ありがとう」

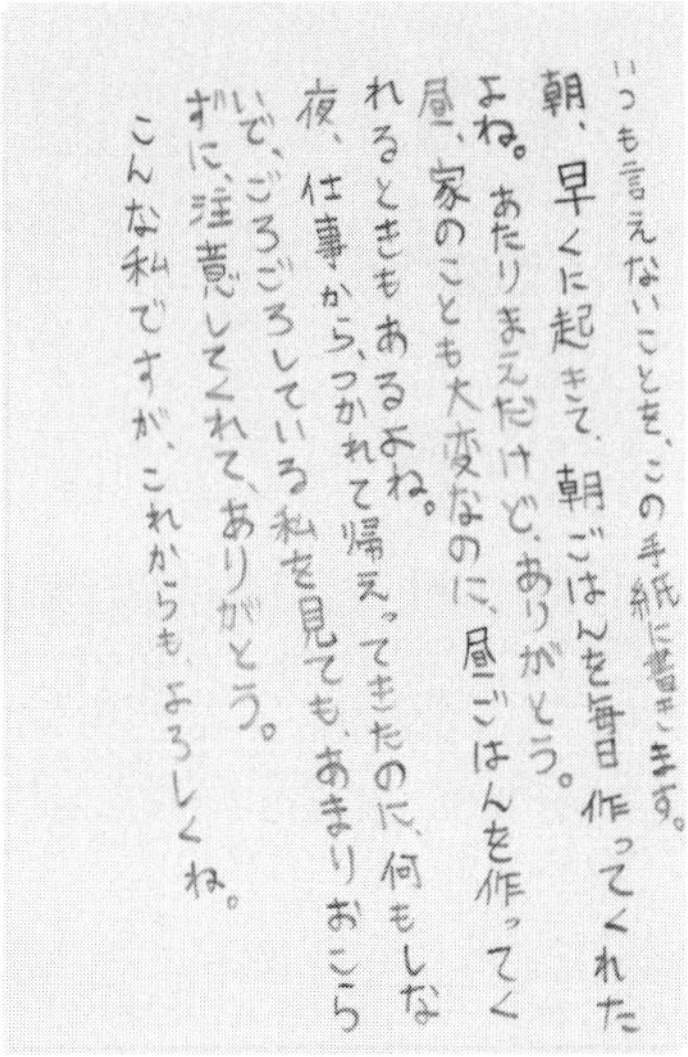
いつも言えないことを、この手紙に書きます。
朝、早くに起きて、朝ごはんを毎日作ってくれた
よね。あたりまえだけど、ありがとう。
昼、家のことも大変なのに、昼ごはんを作ってく
れるときもあるよね。
夜、仕事から、つかれて帰えってきたのに、何もしな
いで、ごろごろしている私を見ても、あまりおこら
ずに、注意してくれて、ありがとう。
こんな私ですが、これからも、よろしくね。

いつも言えないことを、この手紙に書きます。
朝、早くに起きて、
朝ごはんを毎日作ってくれたよね。
あたりまえだけど、ありがとう。
昼、家のことも大変なのに、
昼ごはんを作ってくれるときもあるよね。
夜、仕事から、
つかれて帰えって（帰って）きたのに、
何もしないで、
ごろごろしている私を見ても、
あまりおこらずに、
注意してくれて、ありがとう。
こんな私ですが、これからもよろしくね。

「お前はしっかりしとらん」。お説教が聞きたい

お正月、やわらかな日差しが降り注ぐ廊下で、一緒にひなたぼっこ。なにげないおしゃべりをしている最中に、すうっと、まるで眠るように息を引き取られたのは、漂流郵便局の局長を務める中田さんのお母さま。

「95歳。大往生でした。私は隣にいましたが、とても穏やかな表情で…、母にとって、幸せな最期だったんじゃないでしょうか」

中田局長は6人きょうだいの末っ子。

「母はしっかり者で、動くことをいとわない人でした。その性格はそっくりだときょうだいにもいわれます（笑）。6人もの子どもを育てるため、母は朝から晩までよく働いていました。裕福な家庭ではなかったので、そんな母の姿を見ては、早く働きに出て家計を支えたいと思っていました」

18歳で粟島郵便局に採用されてから、定年まで45年間、郵便局に勤務。そのうち17年間は局長として任務をまっとうされました。

「いくつになっても、母からは口癖のように『お前はしっかりしとらん』と叱られました。その胸の内は『本当の、極貧のつらさをまだ

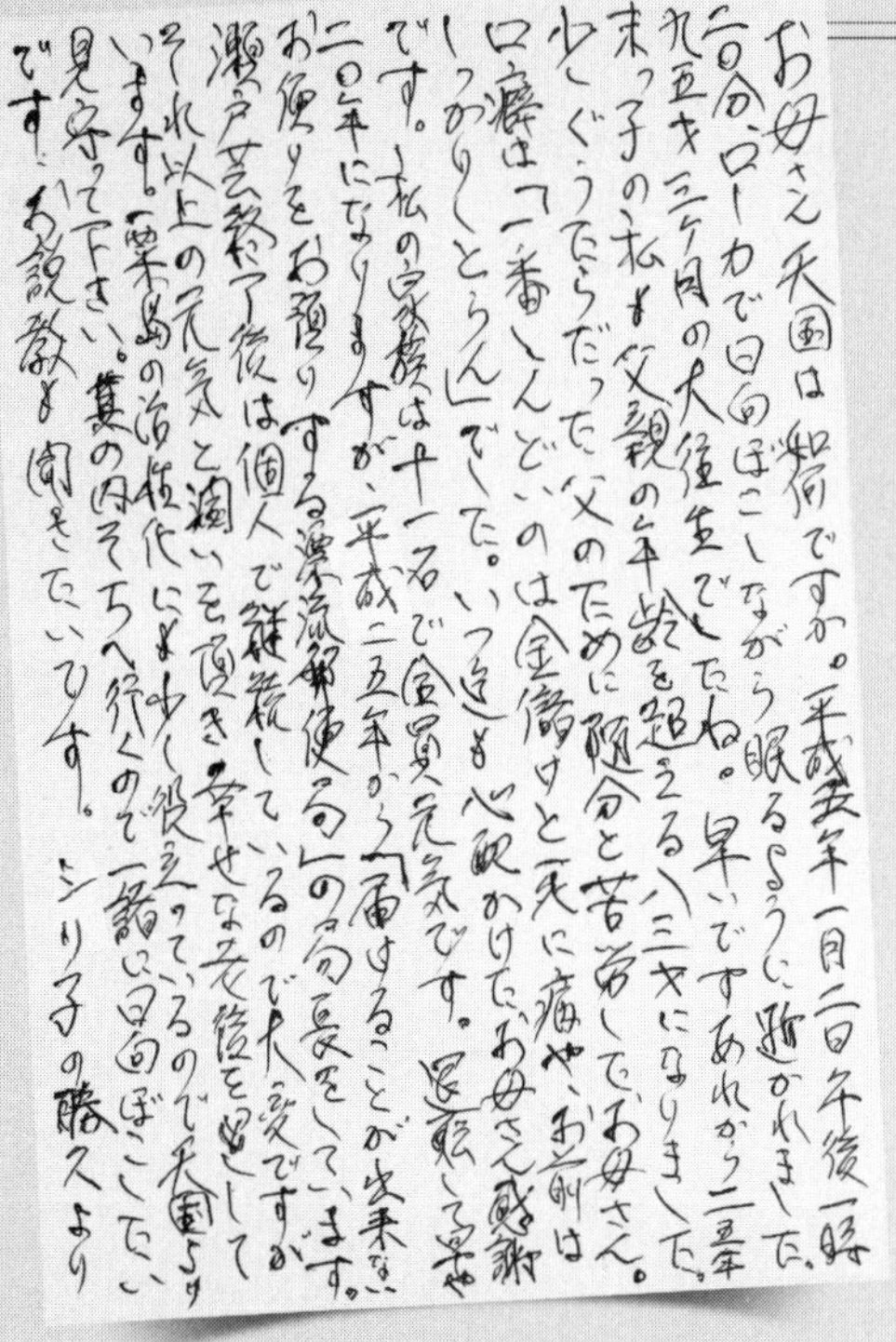
お母さん天国は如何ですか。平成二五年一月二〇日午後一時
二〇分、ローカで日向ぼこしながら眠るように逝かれました。
九五才三ケ月の大往生でしたね。早いですねあれから二年
末っ子の私も父親の年齢を超える八三才になりました。
少しぐうたらだった父のために随分と苦労して、お母さん。
口癖は「一番しんどいのは金儲けと天に痛や、お前は
しっかりしとらん」でした。いつ迄も心配かけたお母さん感謝
です。私の家族は十一名で全員元気です。退職して早や
二〇年になりますが、平成二五年から「届けることが出来ない
お便りをお預りする漂流郵便局」の局長をしています。
瀬戸芸終了後は個人で継続しているので大変ですが
それ以上の元気と潤いを頂き幸せな老後を過して
います。粟島の活性化にも少し役立っているので天国より
見守って下さい。其の内そちらへ行くので一緒に日向ぼこしたい
です。お説教も聞きたいです。
シリ子の勝久より

まだ知らないのだよ』という叱咤激励、深い親心だと思います。漁業組合長になった三男の兄とも『ふたりとも〝長〟がつくようになったのに、親から見たらあいかわらず頼りないらしい』と、よく話したものです」

はがきを書きながら、高菜のぞうすいやおはぎなど、お母さまの手料理を懐かしく思い出したという中田さん。

「漂流郵便局に届くたくさんのはがきの中でも、お母さんにまつわるものは群を抜いて多いように思います。だれにとっても〝母〟というのは普遍的な存在なのではないでしょうか。私の母は、面と向かってほめてくれるタイプではなかったですが、私が続けている漂流郵便局の活動は、天国で温かく見守ってくれていると思います。…いや、やっぱり『しっかりしとらん』と言っているかなぁ。そんな母のお説教もまた、聞きたいものです」

お母さんより

息子へ

反抗期最中の14才の息子。
あんなに、おりこうさんで、お母さ〜ん。
って言っていたあなたは、
今、ちょっぴり反抗期中で
うれしくもあり、さみしくもあり、
やっぱり、楽しみでもある。
勉強嫌いで、ソフトボール、野球ばっかりで
最近では、好きな子が出来たらしく、
お母さんは、さみしいぞ。
無口で人見知りで、無器用なあなた。
お母さんがいなくなったら
大丈夫なんだろうか？
とか、色々考えてしまうよ。
お母さんも反省です。
何でもかんでも手伝ってしまって、

これから先、一人で出来るんカナ？
私のしてあげられる事。
あんまり時間がないけど、いつも笑顔で。
だめだよね。やっぱりあなたが愛しいから
してやりたい病がでてしまうよ。
あなたがいつも笑顔でいれるために
言葉にはっていうか、
お母さんも無器用だから
側にいて、いつだって何でもいってほしい。
あなたは、一人じゃない。
いつだって大切な人がそばにいるから。
お母さんも、あなたの笑顔だけで
幸せいっぱ(い)になれる。
言葉にしなくても伝わる。

息子へ
反抗期最中の14才の息子。
あんなに、おりこうさんで、お母さ〜ん。って
言っていたあなたは、今、ちょっぴり反抗期中で
うれしくもあり、さみしくもあり、やっぱり楽しみでもある。
勉強嫌いで、ソフトボール、野球ばっかりで
最近では、好きな子が出来たらしく、
お母さんは、さみしいぞ。
無口で人見知りで、無器用なあなた。
お母さんがいなくなったら大丈夫なんだろうか？
とか、色々考えてしまうよ。
お母さんも反省です。何でもかんでも手伝って
しまって、これから先、一人で出来るんかナ？
私のしてあげられる事。
あんまり時間がないけど、いつも笑顔で。
だめだよね。やっぱりあなたが愛しいから
してやりたい病がでてしまうよ。
あなたがいつも笑顔でいれるために
言葉にはっていうか、お母さんも無器用だから
頼りにして、いつだって何でもいってほしい。
あなたは、一人じゃない。いつだって
大切な人がそばにいるから。
お母さんも、あなたの笑顔だけで
幸せいっぱいになれる。言葉にしなくても伝わる。

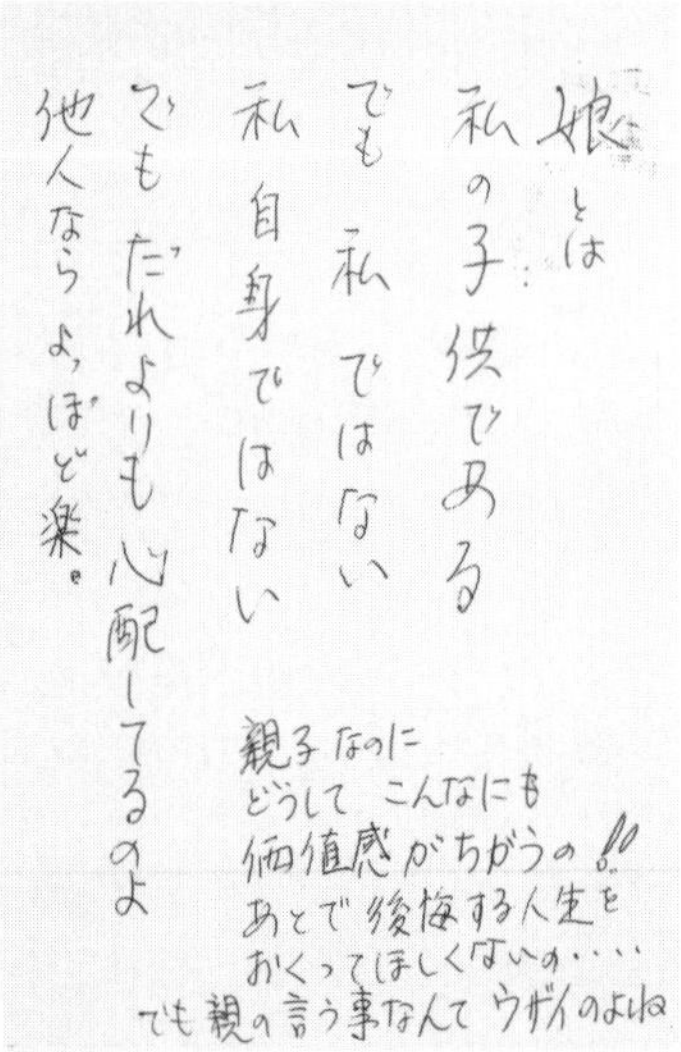
娘とは
私の子供である
でも 私ではない
私自身ではない
でもだれよりも心配してるのよ
他人ならよっぽど楽。
親子なのに
どうして こんなにも
価値感がちがうの!!
あとで後悔する人生を
おくってほしくないの・・・
でも親の言う事なんてウザイのよね

娘とは
私の子供である
でも私ではない
私自身ではない
でもだれよりも心配してるのよ
他人ならよっぽど楽。

親子なのに
どうしてこんなにも
価値感（観）がちがうの!!
あとで後悔する人生を
おくってほしくないの…
でも親の言う事なんてウザイのよね

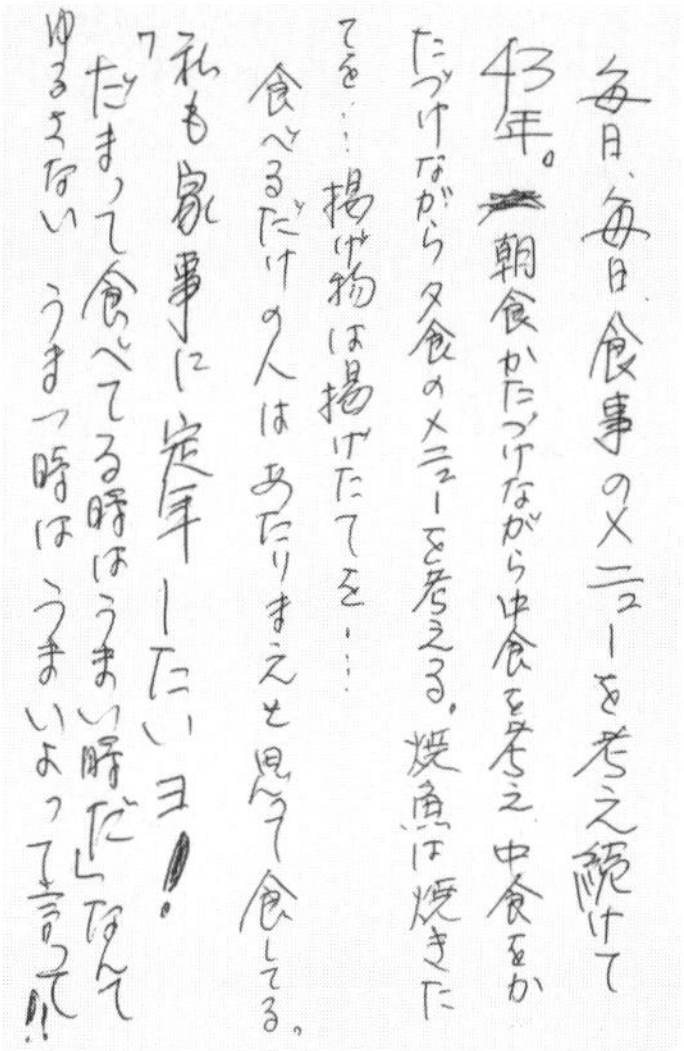
毎日、毎日食事のメニューを考え続けて
43年。朝食かたづけながら中食を考え中食をか
たづけながら夕食のメニューを考える。焼魚は焼きた
てを…揚げ物は揚げたてを…
食べるだけの人はあたりまえと思って食してる。
私も家事に定年したいヨ！
「だまって食べてる時はうまい時だ」なんて
ゆるさない うまい時は うまいよって言って!!

毎日、毎日、食事の
メニューを考え続けて43年。
朝食かたづけながら中（昼）食を考え、
中（昼）食をかたづけながら
夕食のメニューを考える。
焼魚は焼きたてを…揚げ物は揚げたてを…
食べるだけの人は
あたりまえと思って食してる。
私も家事に定年したいヨ！
「だまって食べてる時はうまい時だ」
なんてゆるさない
うまい時はうまいよって言って!!

Yちゃん、
今年は、37歳になるんだよね。
まさかこの年になるまで
結婚してないなんて、思いもしなかった
同級生は、子供が出来たとか聞くと
あーあって気持ちが落ち込みます。
中学までがかがやいて、それからは…。
もう、お母さんも、そろそろ、
貴女の花嫁姿とかは、あきらめた方が
いいのかね。
誰にも言う事も出来ないから、
漂流郵便局に気持ちを書こうと
ペンを取ったわ。

5歳の時川でおぼれかけて、
助かったのだから、
生きてるだけで、
いいって思う方がいいのかね。
悪い男と結婚するより
一人の方が幸せなのかね？
高望みばっかりするからかね？
Yの事だけがお母さんは心配で
一生一人かと心配で、心配で、
神様には、
どれだけもお願いに行ったのに…。
Yの子供を抱くのは
夢のまた夢なのかしら？

Y　ちゃん、今年は、37歳に
なるんだよね。まさか　この年になるまで
結婚してないなんて、思いもしなかった
同級生は、子供が出来たとか　聞くと
あーあって　気持ちが　落ち込みます。
中学までがかがやいて、　それからは…。
もう、お母さんも、　そろそろ、貴女の
花嫁姿とかは、　あきらめた方が
いいのかね、誰にも言う事も出来ない
から、漂流郵便局に気持ちを書こう
とペンを取ったわ。5歳の時　川で
おぼれかけて、助かったのだから、
生きてるだけで、いいって　思う方が
いいのかね。悪い男と結婚するより
一人の方が幸せなのかね？
高望みばっかりするからかね？
Y　の事だけが　お母さんは心配で
一生一人かと心配で、心配で、
神様には、どれだけもお願いに行った
のに……　Y　の子供を抱くのは、
夢のまた夢なのかしら、？

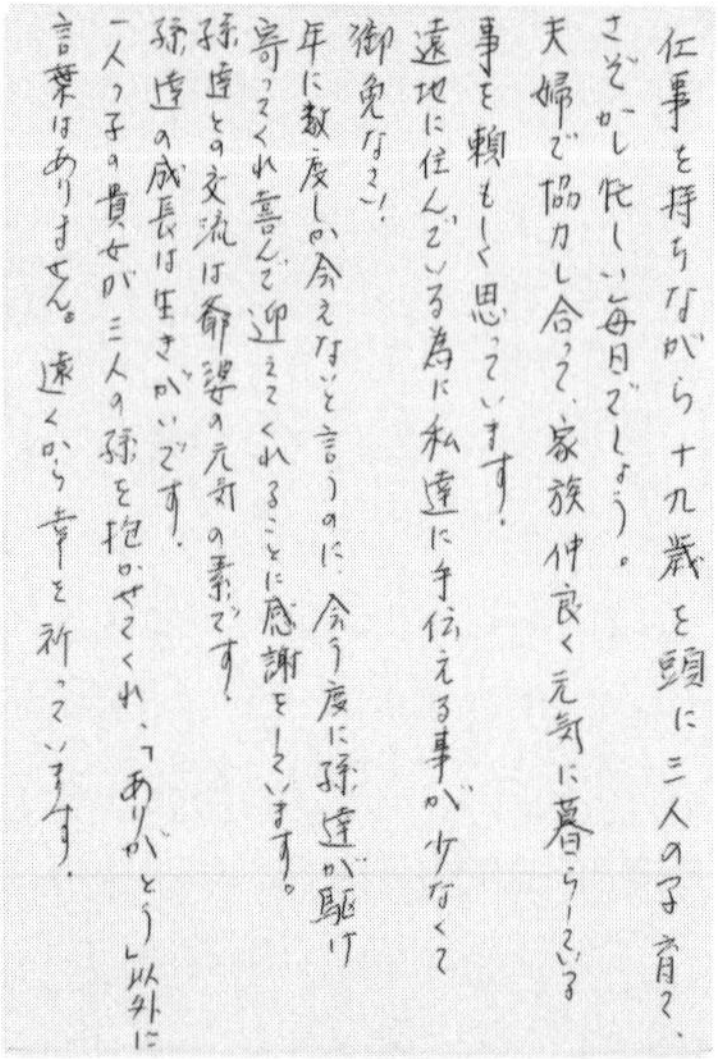
仕事を持ちながら十九歳を頭に三人の子育て、
さぞかし忙しい毎日でしょう。
夫婦で協力し合って、家族仲良く元気に暮らしている
事を頼もしく思っています。
遠地に住んでいる為に私達に手伝える事が少なくて
御免なさい!
年に数度しか会えないと言うのに、会う度に孫達が駆け
寄ってくれ喜んで迎えてくれることに感謝をしています。
孫達との交流は爺婆の元気の素です。
孫達の成長は生きがいです。
一人っ子の貴女が三人の孫を抱かせてくれ、「ありがとう」以外に
言葉はありません。 遠くから幸を祈っています。

仕事を持ちながら十九歳を頭に三人の子育て、
さぞかし忙しい毎日でしょう。
夫婦で協力し合って、家族仲良く元気に
暮らしている事を頼もしく思っています。
遠地に住んでいる為に私達に手伝える事が
少なくて御免なさい。
年に数度しか会えないと言うのに、
会う度に孫達が駆け寄ってくれ
喜んで迎えてくれることに感謝をしています。
孫達との交流は爺婆の元気の素です。
孫達の成長は生きがいです。
一人っ子の貴女が三人の孫を抱かせてくれ、
「ありがとう」以外に
言葉はありません。
遠くから幸を祈っています。

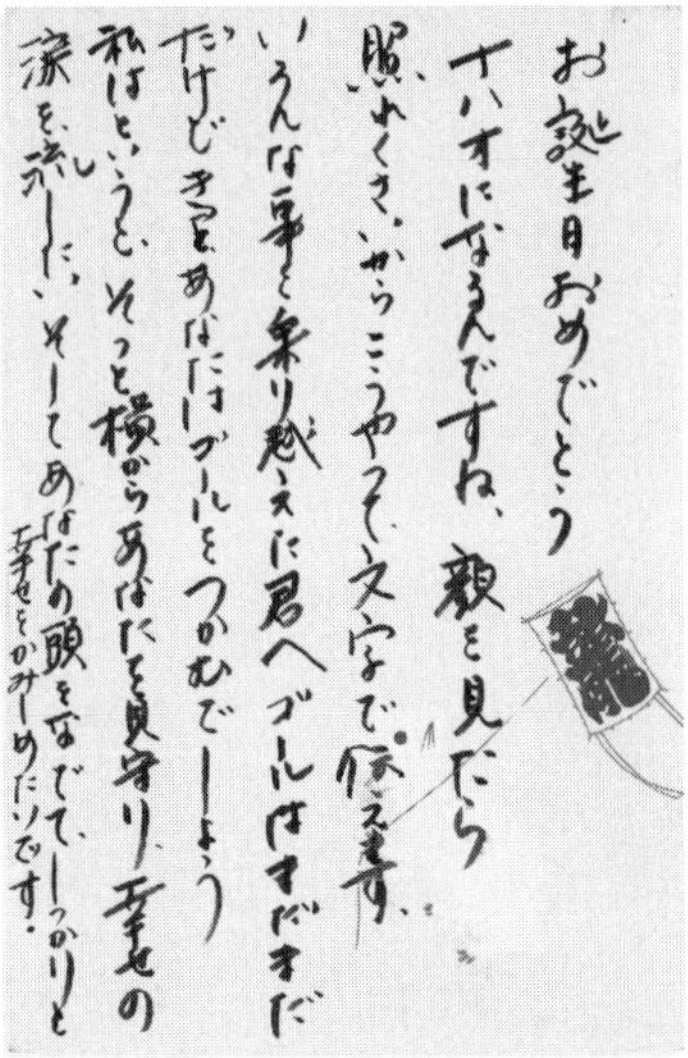

お誕生日おめでとう
十八才になるんですね。
顔を見たら照れくさいから
こうやって文字で伝えます。
いろんな事を乗り越えた君へ
ゴールはまだまだだけど
きっとあなたは
ゴールをつかむでしょう
私はというと、そっと横から
あなたを見守り、幸せの涙を流したい
そしてあなたの頭をなでて
しっかりと幸せをかみしめたいです。

お母さん、やっと前を向き始めたから。安心してね

2013年7月、猛暑の日。職場で突然倒れ、すぐに救急車で搬送されたものの、12時間後に天国へと旅立った息子・宏典さん。「働き盛りの27歳。脳内出血が原因でした。前月には父の日だからとひょっこり実家に帰ってきたんです。いつもと変わらず元気そのものでした。あまりにも突然すぎて…」

それから3年。気持ちが定まらず、1日を過ごすのがやっとだった、という千鶴さん。「ある朝、『あさイチ』で有働由美子さんが〝亡くなった方に想いを伝えることができる、手紙を預かってくれる場所がある〟と漂流郵便局を紹介していたんです。息子の命日に近い日でした。手紙を書こう、と思いました」

その日から毎月、語りかけるように、日々の出来事を綴ったはがきを出し続けました。「本当につらいことは、そう簡単に他人には話せないと思うんです。伝える側も、それを聞く側も、かなりのパワーが必要です。だから、一方的に伝えたいことを書くこと、それを預かってくれる場所があるということは救いでした。返事は返ってこないとわかってい

ても、はがきを書きながら息子と会話をしている気がしてホッとできました。同時に、投函するたびに〝今月も書けたぞ〟と、自分をほめたりして。今思うと、そうやって自分を奮い立たせていたんだと思います」

休むことなくはがきを出し続けて3年。ふと〝そういえば今月、はがきを出していなかった〟と、気づいたという千鶴さん。

「夫や娘からは〝それでいいんじゃない？　最近、以前のお母さんに戻ってきたよ〟といわれました。私自身、強く、元気になったなと思います。〝お母さん、やっと前を向き始めたから。安心してね〟次のはがきには、そう書いて、漂流郵便局に出そうと思います」

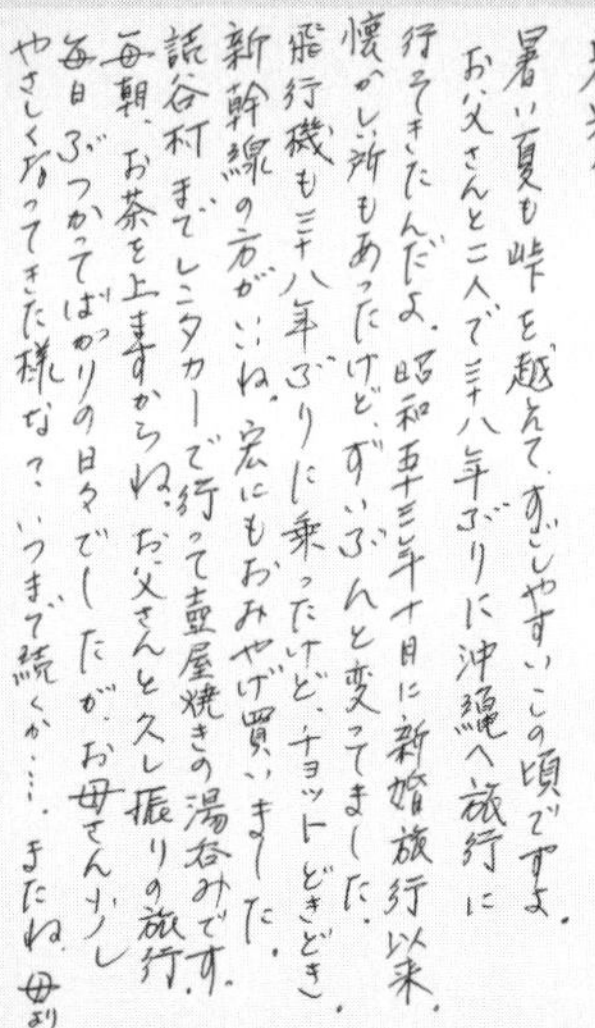
宏典へ
暑い夏も峠を越えてすごしやすいこの頃ですよ。
お父さんと二人で三十八年ぶりに沖縄へ旅行に
行ってきたんだよ。昭和五十三年十月に新婚旅行以来。
懐かしい所もあったけど、ずいぶんと変ってました。
飛行機も三十八年ぶりに乗ったけど、チョットどきどき。
新幹線の方がいいね。宏にもおみやげ買いました。
読谷村までレンタカーで行って壺屋焼きの湯呑みです。
毎朝、お茶を上げますからね。お父さんと久し振りの旅行
毎日ぶつかってばかりの日々でしたが、お母さん少し
やさしくなってきた様な？いつまで続くか…。またね。母より

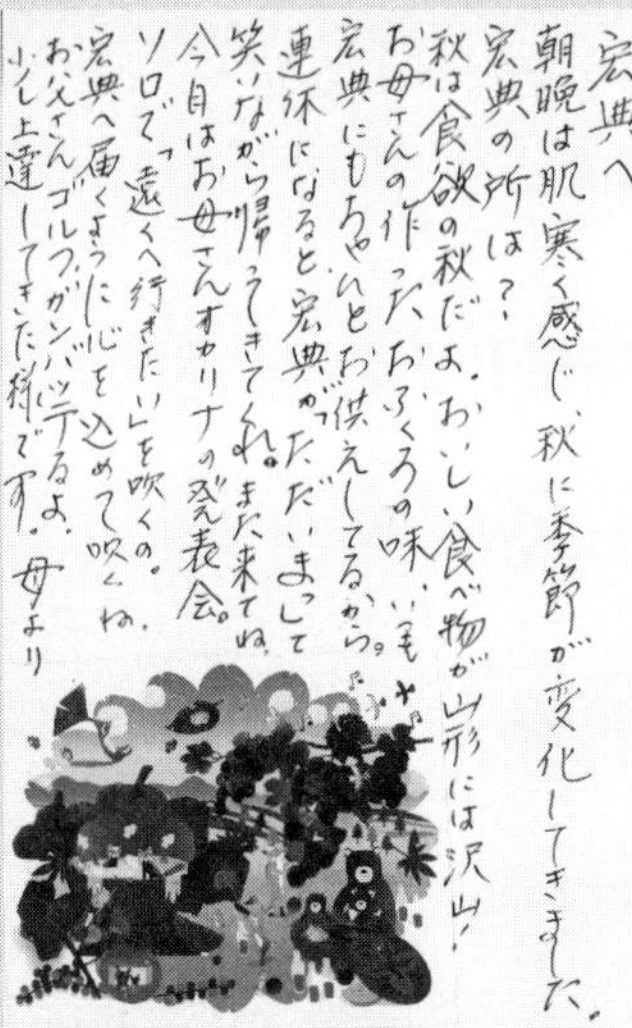
宏典へ
朝晩は肌寒く感じ、秋に季節が変化してきました。
宏典の所は？
秋は食欲の秋だよ。おいしい食べ物が山形には沢山！
お母さんの作ったおふくろの味、いつも
宏典にもちゃんとお供えしてるから。
連休になると宏典が「ただいま」って
笑いながら帰ってきてくれ、また来てね。
今日はお母さんオカリナの発表会。
ソロで「遠くへ行きたい」を吹くの。
宏典へ届くように心を込めて吹くね。
お父さんゴルフガンバッテるよ。
少し上達してきた様です。母より

まだ小さかったあなたを連れ、
嫁ぎ先をとび出してはや14年。
たった二人の生活に、あなたは訳もきかず、
文句も言わず
さみしい思いを我慢しながら
私についてきてくれましたね。
高校も短大も、
県外の私立校を選択したあなたは
「いっぱい心配かけたり、
たくさんお金を使わせてごめんね」と
言うけれど、

そのおかげで母は強くたくましくなり、
おまけに友人や知人、
知恵や知識も増え、
ぱぁーっと世界が広がったのよ。
今日まで母としての成長を見守り
支えてくれた、心やさしい
20歳のあなたにありがとうを
いっぱい伝えたい。
口では照れくさくて言えないから
手紙を書きました。
ありがとう、ありがとう、ありがとう　感謝

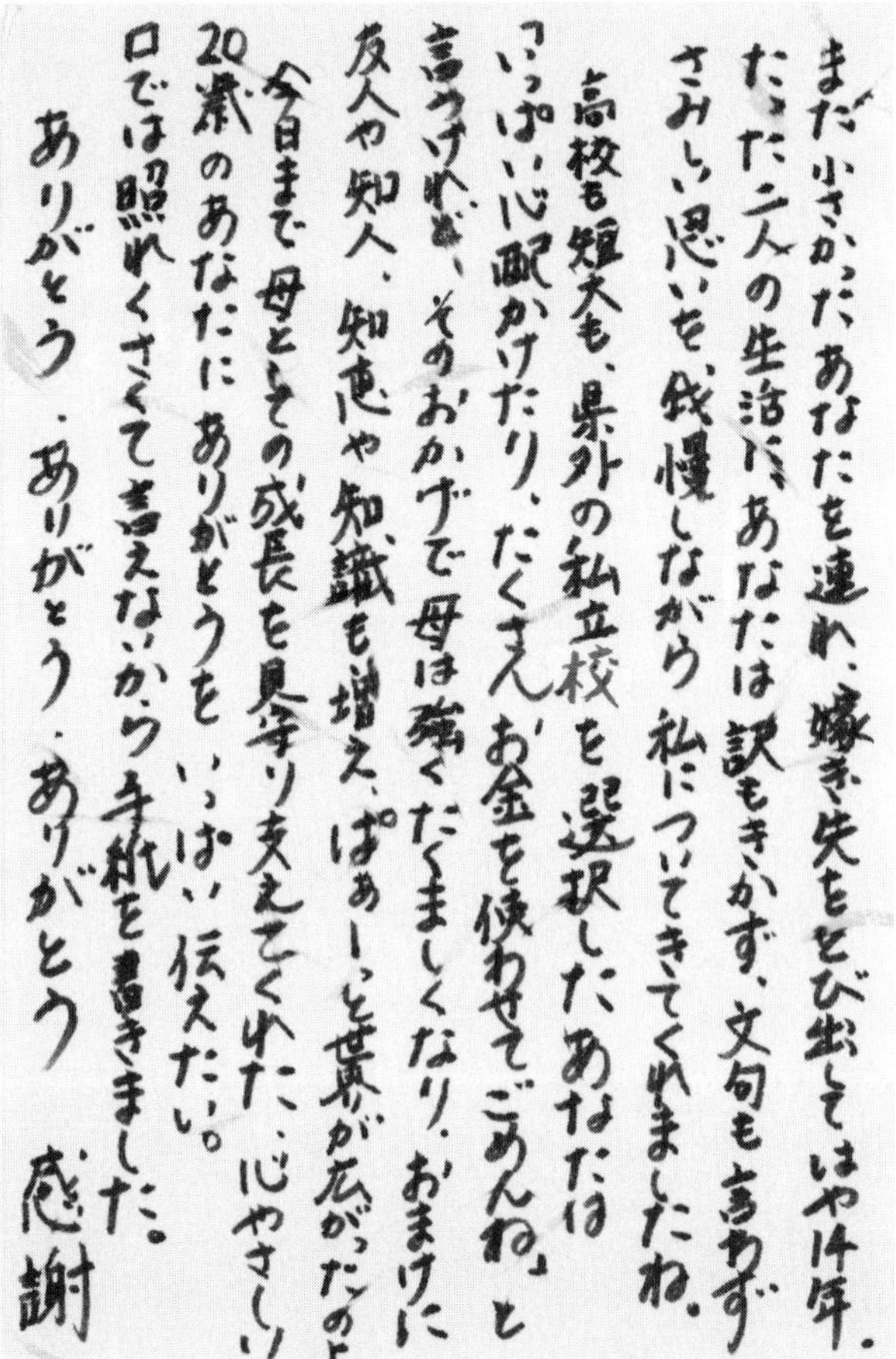
まだ小さかったあなたを連れ、嫁ぎ先をとび出してはや14年。
たった二人の生活に、あなたは訳もきかず、文句も言わず
さみしい思いを、我慢しながら私についてきてくれましたね。
高校も短大も、県外の私立校を選択したあなたは
「いっぱい心配かけたり、たくさんお金を使わせてごめんね」と
言うけれど、そのおかげで母は強くたくましくなり、おまけに
友人や知人、知恵や知識も増え、ぱぁーっと世界が広がったのよ。
今日まで母としての成長を見守り支えてくれた、心やさしい
20歳のあなたに ありがとうを いっぱい伝えたい。
口では照れくさくて言えないから手紙を書きました。
ありがとう・ありがとう・ありがとう 感謝

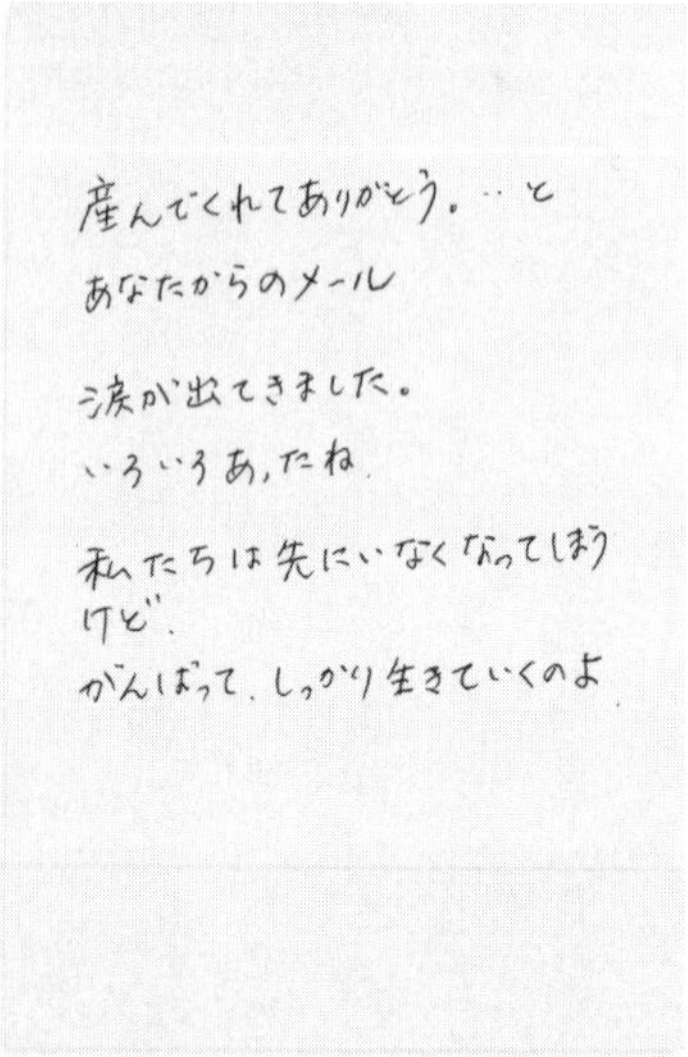
産んでくれてありがとう。…と
あなたからのメール

涙が出てきました。
いろいろあったね

私たちは先にいなくなってしまう
けど、
がんばって、しっかり生きていくのよ

産んでくれてありがとう。…と
あなたからのメール
涙が出てきました。
いろいろあったね
私たちは先にいなくなってしまうけど、
がんばって、しっかり生きていくのよ

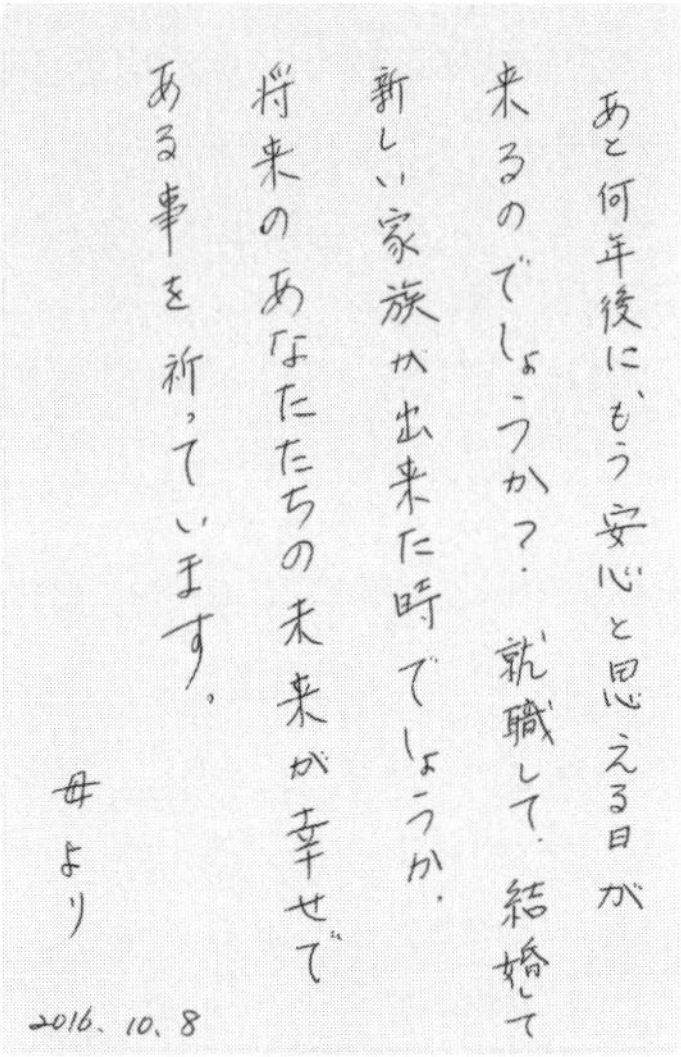

あと何年後に、もう安心と思える日が
来るのでしょうか？ 就職して、結婚して
新しい家族が出来た時でしょうか。
将来のあなたたちの未来が幸せで
ある事を祈っています。

母より

2016. 10. 8

あと何年後に、
もう安心と思える日が
来るのでしょうか？
就職して、結婚して
新しい家族が出来た時でしょうか。
将来のあなたたちの未来が幸せで
ある事を祈っています。

母より

２０１６・10・8

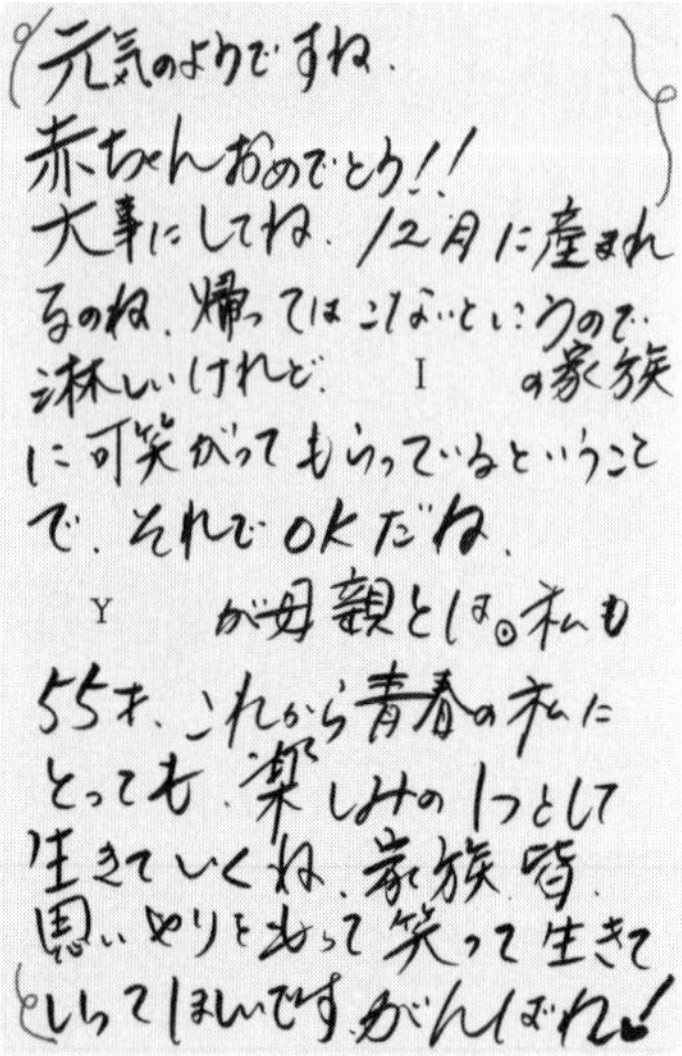
元気のようですね。
赤ちゃんおめでとう!!
大事にしてね。12月に産まれ
るのね。帰ってはこないというので
淋しいけれど、 I の家族
に可笑がってもらっているということ
で、それでOKだね。
Y が母親とは。私も
55才、これから青春の私に
とっても、楽しみの1つとして
生きていくね。家族皆、
思いやりをもって笑って生きて
いってほしいです。がんばれ！

元気のようですね。
赤ちゃんおめでとう‼
大事にしてね。12月に産まれるのね。
帰ってはこないというので
淋しいけれど、Ｉの家族に
可笑（愛）がってもらっているということで、
それでＯＫだね。
Ｙが母親とは。
私も55才、
これから青春の私にとっても、
楽しみの1つとして生きていくね。
家族皆、思いやりをもって
笑って生きていってほしいです。がんばれ！

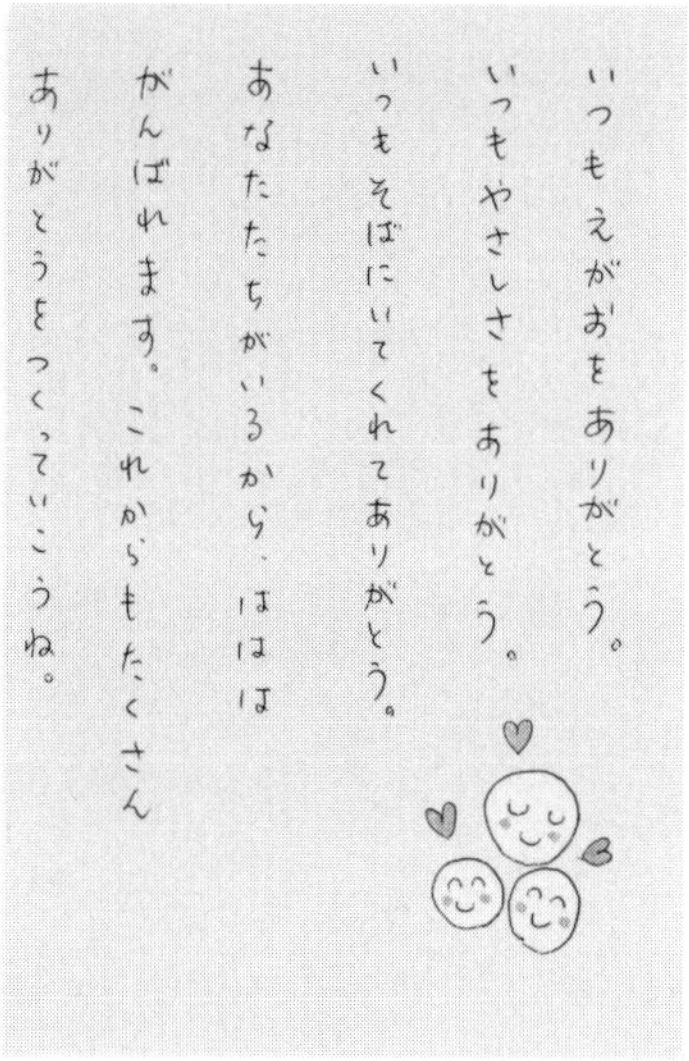
いつもえがおをありがとう。
いつもやさしさをありがとう。
いつもそばにいてくれてありがとう。
あなたたちがいるから、はは は
がんばれます。これからもたくさん
ありがとうをつくっていこうね。

いつもえがおをありがとう。
いつもやさしさをありがとう。
いつもそばにいてくれてありがとう。
あなたたちがいるから、ははは
がんばれます。これからもたくさん
ありがとうをつくっていこうね。

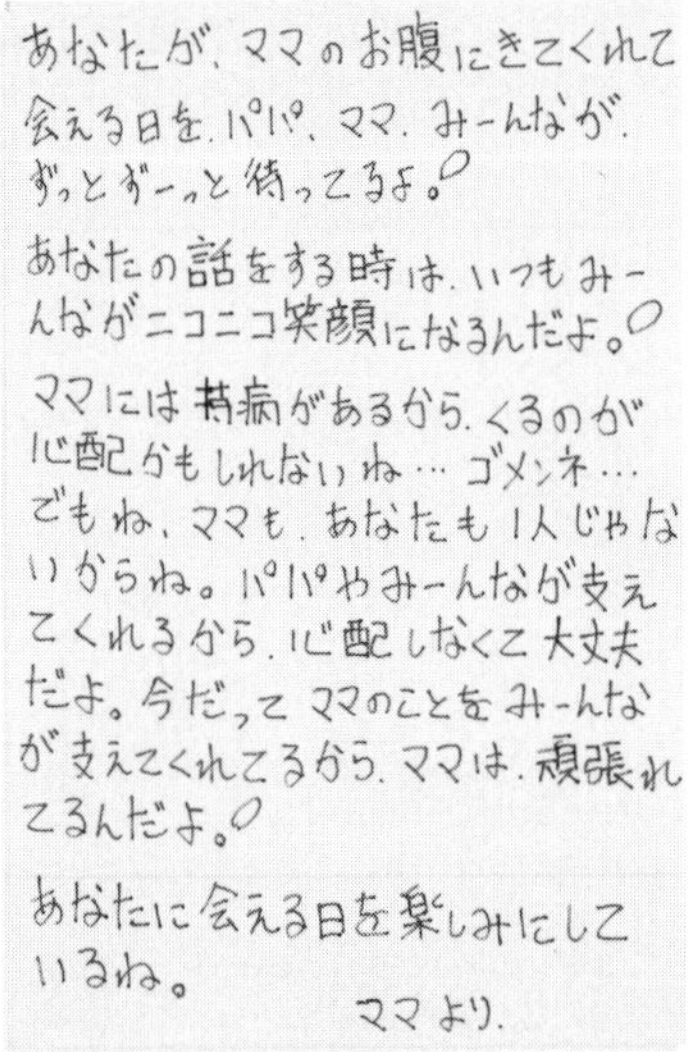
あなたが、ママのお腹にきてくれて
会える日を、パパ、ママ、みーんなが、
ずっとずーっと待ってるよ。
あなたの話をする時は、いつもみー
んながニコニコ笑顔になるんだよ。
ママには持病があるから、くるのが
心配かもしれないね…ゴメンネ…
でもね、ママも、あなたも1人じゃな
いからね。パパやみーんなが支え
てくれるから、心配しなくて大丈夫
だよ。今だってママのことをみーんな
が支えてくれてるから、ママは、頑張れ
てるんだよ。
あなたに会える日を楽しみにして
いるね。
ママより。

お空にいる赤ちゃんへ

あなたが、ママのお腹にきてくれて
会える日を、パパ、ママ、みーんなが
ずっとずーっと待ってるよ！
あなたの話をする時は、いつもみーんなが
ニコニコ笑顔になるんだよ！
ママには持病があるから、くるのが
心配かもしれないね…ゴメンネ…
でもね、ママも、
あなたも1人じゃないからね。
パパやみーんなが支えてくれるから、
心配しなくて大丈夫だよ。
今だってママのことを
みーんなが支えてくれてるから、
ママは、頑張れてるんだよ！
あなたに会える日を楽しみにしているね。

ママより

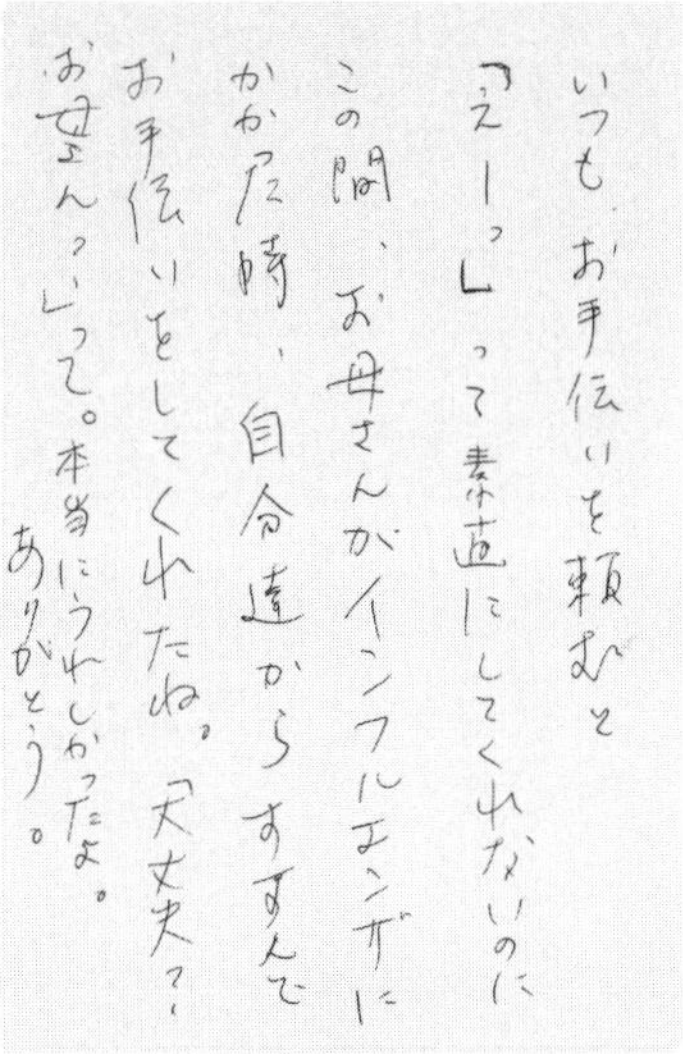
いつも、お手伝いを頼むと
「えーっ」って素直にしてくれないのに
この間、お母さんがインフルエンザに
かかった時、自分達からすすんで
お手伝いをしてくれたね。「大丈夫？
お母さん？」って。本当にうれしかったよ。
ありがとう。

いつも、お手伝いを頼むと
「えーっ」って素直にしてくれないのに
この間、お母さんがインフルエンザに
かかった時、自分達からすすんで
お手伝いをしてくれたね。
「大丈夫？お母さん？」って。
本当にうれしかったよ。
ありがとう。

あれから10年。一度も忘れたことはないよ

〝生まれ変わっても、また、お母さんの娘に生まれたい〟感謝の気持ちとともに、遺書にはそう綴られていました。

「明るくて頑張り屋。ずっと夢だった職業に就いて上京したばかり。22歳、これから、というときに命を断った娘。理由は今もわからないままです。どうして？　親として、できることはなかったの？　悔しい、悔しい…」

後悔ばかりの日々の中、テレビで漂流郵便局の存在を知り、すぐにはがきを書いた、と由紀子さん。

「麻衣が旅立ってから6年が過ぎたころ、そろそろ立ち上がらないと…と思ってはいたんです。漂流郵便局にはがきを送れば、麻衣はきっと読んでくれる。そう信じて、生き

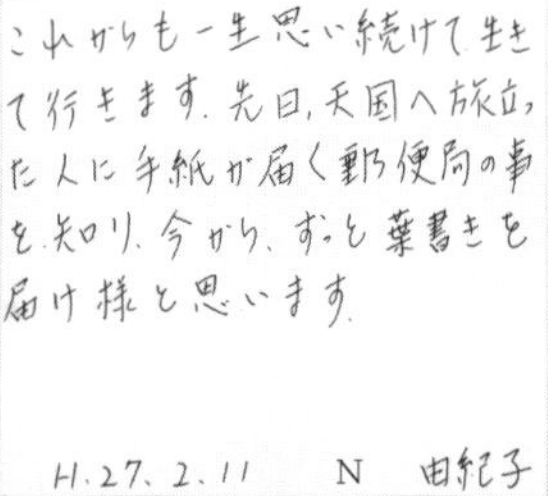
麻衣へ
麻衣が天国へ旅立ってから
6年以上の月日が経ちます。
お母さんは毎日、朝から晩迄
麻衣の事は忘れた事はないし
これからも一生思い続けて生き
て行きます。先日、天国へ旅立っ
た人に手紙が届く郵便局の事
を知り、今から、ずっと葉書きを
届け様と思います。
H.27.2.11　N　由紀子

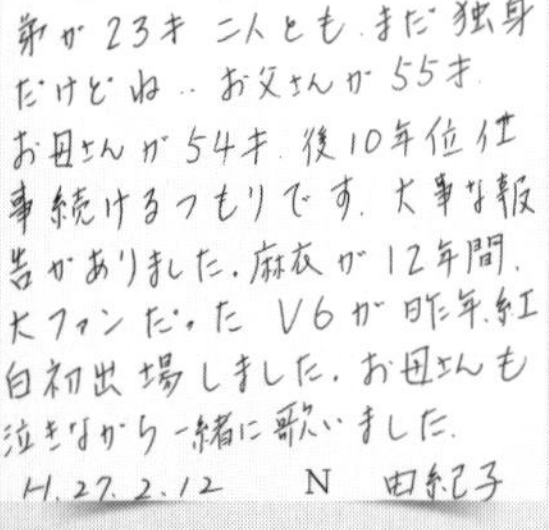
麻衣へ
先月の9日で29才になったね。
麻衣が22才で旅立ってから、
貴方の妹、弟も貴方の~~妹弟~~歳
を追い越しましたよ。妹が27才
弟が23才　二人とも、まだ独身
だけどね…お父さんが55才
お母さんが54才。後10年位仕
事続けるつもりです。大事な報
告がありました。麻衣が12年間、
大ファンだったV6が昨年紅
白初出場しました。お母さんも
泣きながら一緒に歌いました。
H.27.2.12　N　由紀子

ていたら会話したであろう、ポジティブな内容だけを綴ることにしました。遺書にさえ、憎しみや恨みを一切書かなかった娘です。彼女のためにも、楽しい話を中心に、ささいな出来事や自分の心境を日々綴っています」

ほぼ毎日、はがきを書き続けて丸4年。漂流郵便局に届いたはがきは1000枚以上。書くことで気持ちがやわらぎ、少しずつ前を向いている感覚がある、といいます。

「娘のことは一度も忘れたことはありません。はがきは今、週1回、月1回と、書く頻度は減りましたが、一生書き続けます。書くことは娘との会話ですから。最近、ジムに通い始め、趣味だったウォーキングの大会にも挑戦しました。元気じゃないと、はがきも書き続けられませんからね。そうそう、実は夫も漂流郵便局にはがきを出していたそうです。何を書いているかお互い知らないけれど。漂流郵便局で、私たち家族は日々、会話をしているんです」

麻衣へ

麻衣が7才の時から、15年間弾いていたピアノも天国に旅立ってからピアノのふたは、閉めっぱなし。麻衣の七回忌の法要を終えてから、ピアノを開こう、音を出してみようと決めていたのでこの前6年振りにピアノのふたを開けたら、埃だらけでした。きれいに拭いて、音を出してみたよ。今から少しずつ麻衣と一緒に弾いて行こうね。

H.27.2.13　N　由紀子

麻衣へ

今日は、お父さんと長崎に野球観戦（巨人対ホークス）に行って来ます。寄りによって、朝から小雪がパラついてます。3月に雪が降るのは、5年振りです。外での観戦なので着込んで行きます。麻衣が天国に旅立ってからお父さんと出掛ける事が増えました。島原の20kmのウォーキングも3回参加しました。家に居たら、本当に辛く、苦しく、麻衣の事、思い出すだけでも涙が止まりません。もう6年半になるけど日本も大変大きい災害が起きてます。これからも一日一日を大切に過ごして行きますね。

N　由紀子

我が家の『たからもの』たちへ

5年生のYちゃん。家に帰るとひょうきんで、きょうだいげんかや赤ちゃんの泣き声も、いつの間にか吹きとばしてくれる頼もしいお姉ちゃん。

2年生のKちゃん。家族のために焼いてくれるホットケーキ。ひっくり返す時のくちびるから、一生懸命さが伝わります。

4才のMちゃん。叱られると、「ママ」から「おかあちゃん」に早変わり。ポニーテールをゆらして「おかあちゃーん」と甘える姿に、私のほほもゆるみます。

6ヶ月のNちゃんは、夢中でおもちゃを取りに行き、口に入れたり振ってみたり。失敗を知らないチャレンジャー。

「ママが守ってあげる」と言いながら、いつも守られ、励まされ、元気をもらっている毎日です。一日一日をありがとう!!

5年生のYちゃん。家に帰るとひょうきんで、きょうだいげんかや
赤ちゃんの泣き声も、いつの間にか吹きとばしてくれる頼もしいお姉ちゃん。
2年生のKちゃん。家族のために焼いてくれるホットケーキ。
ひっくり返す時のくちびるから、一生懸命さが伝わります。
4才のMちゃん。叱られると、「ママ」から「おかあちゃん」に早変わり。
ポニテールとゆらして「おかあちゃん」と甘える姿に、私のほほもゆるみます。
6ケ月のNちゃんは、夢中でおもちゃを取りに行き、口に入れたり振ってみたり。
失敗を知らないチャレンジャー。
「ママが守ってあげる」と言いながら、いつも守られ、励まされ、
元気をもらっている毎日です。一日一日をありがとう!!

瀬戸内海に浮かぶ小さな島、
粟島のおへその部分に、
漂流郵便局はあります。
いつかのどこかのだれか宛、
届け先のわからない手紙を
受け付けて7年目。
これまでとこれからについて
局長と郵便局員が語ります。

漂流郵便局の歩み

行き場のない想いを預かるということ

中田勝久

「届けたくても届けられない手紙を預かってくれてありがとう」「書くことで気持ちの整理ができました」「この場所があることで、天国にいる息子に手紙を書き続けられます」

そんなお礼のお便りとともに、最近、よくいただくメッセージが「局長。いつまでもお元気で、できるだけ長くこの郵便局を続けてください」という言葉です。

2013年に開催された瀬戸内国際芸術祭で、アート作品として現代美術家の久保田沙耶さんが考案した漂流郵便局。本来なら芸術祭が終わると同時に作品は撤去されます。ところが、1か月におよぶ芸術祭の期間中、なんと約400通のお便りが届きました。本物の郵便局ではない、アート作品としてのこの場所に。芸術祭が終わっても、漂流郵便局宛のお便りは増え続けました。

この漂流郵便局は、旧粟島郵便局の局舎を改装したものです。私は粟島郵便局で45年間勤め、うち17年間は局長をしていました。1998年に退職しましたが、旧局舎は私が買い取って管理しており、ずっと使われていなかったのですが、思い入れがあってなかなか手放せなかったのです。そんなとき、芸術祭開催にあたって局舎を提供したところ、この建物を気に入った久保田さんが漂流郵便局という作品をつくり上げ、縁あって局長に指名されたのでした。

退職して15年後に、また郵便局長を務めるとは…。人生はわからないものです。芸術祭の期間中、制服制帽を身につけ、毎日出勤しました。届いたお便りに消印を押し、私書箱代わりのオブジェに展示するほか、訪れた方たちに漂流郵便局のコンセプトをご説明しました。

芸術祭は盛況でした。訪れた方の反応や感想、日に日に増えていく、さまざまな想いが込められたお便りを見るにつけ、「この場所をこのまま終わらせてはいけない」と思い始めました。そこで、「芸術祭が終わっても、この漂流郵便局を継続しませんか。局舎は無償提供しますし、メンテナンスも私がやります。ここに届いた手紙はすべて受け付けて大切に保管しますし、見学にこられた方にもできる限り対応します」と久保田さんに提案したのです。

あれから6年が経ち、漂流郵便局に届いたお便りは4万通になりました。日本だけでなく台湾やイギリスなど世界中からお便りは届き続けています。海外からこの小さな島まではるばるお越しくださる方もたくさんいます。

「悠久は物を成す所以《ゆえん》なり」。こつこつと私なりにお世話してきました。最初はアート作品だった漂流郵便局は、〝続けること〟でその役割が変化、いや進化しているような気がします。届け先のわからない手紙を受け付ける場所がある、ということ。そして、その場所はずっと、そこに在り続けるということ。その意味を考えるにつけ、漂流郵便局の使命の重さを痛感します。

届いたお便りひとつひとつに目を通していると、さまざまな人生に出会います。未来や過去の自分へ、叶わぬ恋、大好きな人への感謝や伝言…。本物の郵便局に勤めていたころは、人の手紙を読むことは〝信書の秘密〟に反することでした。ところが今、局長でありながら、こうやって人のお便りを読んでいます。不思議な気持ちですが、書かずにはいられなかった想い、だれかに聞いてほしい、伝えたいという想い…、どれも心を砕いて書かれたものだと思うと、目を通さないと失礼だと思うからです。

「手紙を出しても返事が返ってこないことはわかっているけれど、出し続けたい。書き続けたいんです」。そんなメッセージも多くいただきます。実際、娘さんや息子さんを亡くされた方が、毎日毎日欠かすことなく、行き場のない想いを綴られ、投函されたであろう手紙もたくさん届きます。ご自身の後悔、怒り、悲しみから、天国にいる方への報告や日常の会話まで。書くことで気持ちに整理をつけ、書き続けることで現実と向き合っている。お便りを通して、懸命に前へ進もうとするその過程を感じます。

毎日届いていたお便りが、1週間に一度となり、1か月に一度となり、やがて届かなくなることがあります。「あぁ、気持ちが落ち着かれたんだな」。そう思ってどこかほっとします。「1年間、毎日書き続けましたが、もう手紙を書かなくても大丈夫です。乗り越えられた気がするんです」とわざわざ粟島までお越しくださり報告してくださった方もいました。

悲しみ続けること、怒り続けること、後悔し続けることは、体も心もしんどいものです。大切な人を失ってもその方を忘れることは決してありません。でも、少しずつ少しずつ、薄れていく。それでいいと思います。私たちは生きているからです。

7年目を迎える漂流郵便局。今年（2020年）で86歳になりますが、健康に気をつけて、体が元気な限り、できるだけ長く漂流郵便局を続けていきたいと思っています。

これまでと、これから

久保田沙耶

抜けた床

「手紙にだんだんあたたかい血が通ってきたように感じるんです」という印象的な言葉を聞いたのは、亡くなった息子さん宛に100通を超える手紙を漂流郵便局に出し続けていた差出人様とお話をする機会をいただいたときのことです。彼は手紙に、ひたすら自分の悲しみや怒りを綴りました。なぜだかそうせざるを得なかったそうです。そんな手紙を何通も出すうち、息子が亡くなったという事実を受け入れることのできていない自分に気がついた、と彼はいいました。それから手紙の投函を重ねていくにつけ、内容は刻々と変化していきます。最終的にはグリーティングカードや、年賀状、クリスマスカード、誕生日カード、なにげない日常の話をする手紙が増え、そのときに感じたのが「手紙にだんだんあたたかい血が通ってきたような感じ」だったそうです。

はがきはいつも手帳に挟み「話しかけよう」と思った瞬間に書く。その瞬間がいつ訪れるのか、いまだによくわからない。そんな彼の息子さんへの話しかけ方はまるで呼吸をしているように自然で、何百回もの手紙投函を通して、いつのまにか彼だけの特別な祈りかたを見出しているようでした。

インターネットやSNSが普及した現代、郵便という形式は必ずしも便利とはいえないかもしれません。ハガキを用意し、そこに収まるよう文章をととのえて、住所と宛名を書いて切手を貼り、ポストへ投函する。ボタンひとつでだれかとつながるSNSに比べ、なんと手間のかかることでしょう。しかしこの手数の多さにこそ、「手紙を書く」ということが現代において通信以外の役割をも果たす可能性があるのかもしれません。それはまるで自分の祈りかたを見つけるための通過儀礼のようにも感じられるのです。

ふと、祈るという行為について辞書を引けば「祈りは神聖視する対象に何らかの意思疎通を図ろうとする人間の行動様式」とあります。ここで大切なのは意思疎通そのものではなく、意思疎通を図ろうとする、その気持ちにあるのではないでしょうか。そしてそれはまだ言葉になる前の、まだ表情にかわる前の、まだ思いにとどく前の、心そのものの様子なのかもしれません。

漂流郵便局はいまやまるで教会や神社、小さな祠《ほこら》のような、祈る場所としてのおもむきさえあるように思えます。そして、この場所の存在そのものともいえる中田局長の風格は、神父さんや牧師さん、神主さんのようでもあり、彼に会うために粟島を訪れるひとびともあとをたちません。

中田局長や漂流郵便局自体に対しての感謝状や色紙、年賀状まで届くようになりました。開局から6年が過ぎ、この場所はお預かりしている4万通の手紙だけではなく、匿名の人たちによる漂流郵便局の看板や写真、絵、置物などで溢れかえっています。頑丈な日常に編まれた色とりどりのそれらは、まるでお地蔵さんのためにだれかが縫ったやさしい布や、道端の祠にお供《そな》えされたあたたかいお茶、教会の花瓶にいつの間にか生けられた花のように、そっと漂流郵便局の中にたたずんでいます。長時間手紙を読み続ける人のために置かれたマッサージチェア、漂流私書箱では収まりきらない手紙を受け入れる廃郵便局の古い仕分け棚、涙をぬぐうための無数のティッシュ箱。

そんな漂流郵便局の床が抜けたのは、２０１６年のことでした。

旧粟島郵便局は1964年に竣工され、約30年ものあいだ局長とともに島の郵便局の役割をまっとうし、それからしばらく経った2013年より漂流郵便局としてあらたに動き出しました。廃郵便局であるこの建物と出会ったとき、かつて行き交ったであろう人々の足裏でなでられた床は歴史のつやめきをたっぷりたたえて、とても美しかったのを覚えています。お預かりしている手紙はどんどん増えてゆき、それに引き寄せられるようにしてお客さんが訪れました。老朽化が進んでいたとはいえ、漂流郵便局としてこの場所が再び歩みはじめてからというもの一気に床が弛《ゆる》み、開局から3年目、床は抜けました。私は作者として、この出来事に強く胸を打たれました。

800kg。これは漂流郵便局がお預かりしている約4万通の手紙の、おおよその重さです。心に重さはないのにもかかわらず、手紙というかたちをかたどることで、床をも抜かす力になったのです。

どこからともなく集まってきた手紙をきっかけに、よせてはかえす波のように人々が訪れ帰っていく漂流郵便局内の様子は、漂着物でできたといわれる粟島の地形の成り立ちのようでした。

わたし自身もまた、この床を抜かした漂着物のうちのひとつだととらえたとき、この空間があることと自分の体が今ここにあることにかたじけない想いがあふれます。

床は中田局長のご厚意により、新しく張り替えられました。今日もわたしたちの体と心の漂着が数限りなくはじまっています。

化石になれないわたしたちは

今日の日本の郵便制度の基礎は、イギリスでつくられたものです。近代郵便制度の父ローランド・ヒルは、公私、身分、所得、組織、地域にかかわらず全ての人が低料金で平等に利用できる郵便制度をつくりあげました。それは人々のコミュニケーション方法を大きく変える発明でした。そして明治維新の頃、前島密《ひそか》によって日本に均一料金郵便制度が導入されます。いかにそれが日本文化の発展の原動力となったか中田局長が目を輝かせて話してくださった日を、私は今でも鮮明に覚えています。

そんな中田局長の言葉がきっかけになったのか、私はイギリスで留学をする機会を得ました。滞在中、郵便制度のルーツを知るために足を運んだ英国郵便博物館でブライアン・ペインさんと出会い、不思議なご縁で英国でも漂流郵便局を開局する運びとなりました。彼ははっとするほど中田局長と雰囲気が似ていました。イギリスのGPO（The General Post Office）にて31年間郵便局員を勤めあげたそうです。粟島の中田局長もほぼ同じ時代に郵便局長を勤めています。違う国や異なる言語、遠い土地で暮らしていたにもかかわらずお二人の性格や雰囲気に通底するなにかを感じるのは、同時代に同じ郵便制度のもと同じ郵便局員として勤めあげた姿勢によるものかもしれません。また、イギリスの漂流郵便局に世界中から届く母宛の手紙も、国や言語が違えど、想いの手触りがよく似ていたことが心に残っています。

さて、わたしは今これをイギリスの海のそばで書いています。この本の執筆をするからには海の近くがいいとわがままをいって、夢だった海岸化石発掘ツアーに無理やり連れてきてもらいました。イギリス海峡に面したここドーセットという海岸はさまざまな化石が採取できることで知られています。ジュラ紀に形成された地層が露出し、波で削られた特徴的な地形が目立っています。

同じく特徴的な地形である粟島についても調べてみました。大まかにわけると、粟島は後期白亜紀からジュラ紀にかけてマグマが冷えて固まってできた火成岩でほぼ形成され、そこに海で堆積した砂岩が三つの島をくっつけるようにして寄り添っています。かなり大きいくくりにはなりますが、粟島の地質はここドーセットで露出している地層と同時代のものということになります。

ドーセットの波打ち際で目をこらすと、地層から無数の化石が見えてきます。ハンマーで地層の割れ目を探し、汗だくになりながらガツガツと掘り、私が採取したのは小さなアンモナイトと数種類の貝やイカの化石でした。いろんな形、いろんな色、いろんな命。命はいつも死んだものや散らばったものからやってきて、ひとときひとつの形として道行きを歩んだのちに、ふたたび死んだものへと解体されていく。ひとつの地層を掘り続けていると、この地層の時代は一体どのような様子だったのだろうと考えを巡らさずにはいられません。そのとき思い出されたのは、漂流私書箱を整理していたときに、手紙が重なっている様子が地層のようだと感じたことでした。地層から発掘するように読む一通一通の手紙は、形の違う化石のようにも感じられます。

100年後、あるいはもっと先、手紙を手にしただれかは消印が押されたその時代をどう捉えるのでしょうか。わたしたちは歴史を学んでいるようでいて、絶対的なひとつの真実、過去はこうであった、というような断定的な結論を下すことはできません。

けれども、化石のかけらや手紙は、こうであったとすれば、というしなやかなまなざしへとわたしを導いてくれました。何万通もの膨大な手紙を一枚一枚読み、それらに対するわたしたちひとりひとりの感じ方の総体にこそ、ひとつの物語として要約できない本当の意味での歴史があるのかもしれません。そんな多面的な過去の捉え方ができたらどんなに良いだろうと思うのです。そのときはじめてこれらの手紙は「わたしたちの手紙」『わたしたちの歴史』といい得るのではないでしょうか。するとと漂流郵便局はまだ見ぬ未来へとつながることができるように思えるのです。なぜなら過去を振り返るということは、今とこれからのわたしたちのふるまいを考えることとまったく同じだからです。

むかしむかしのものたちがいくえにも重なりあって生まれては死に、いつの間にか地層に名前があてがわれるように、今このときもひとつの時代として「過去」になる日がやってくるでしょう。そんな中、想いの重なりが物質的に存在するこの漂流郵便局は、どの時代であっても普遍的な人の心をあらわす地層をつくっているのかもしれません。

MISSING POST OFFICE HISTORY

2012

7　著者・久保田沙耶が旧粟島郵便局と出会い、「漂流郵便局」着想

2013

6　著者が粟島芸術家村に入村、滞在制作開始。
中田局長に漂流郵便局長をお願いする

10　瀬戸内国際芸術祭・秋会期　久保田沙耶出展作品「漂流郵便局」として開局
（粟島・作品ナンバー128）

1か月の期間中、
400通の手紙が届く

11　芸術祭終了後も継続したいという中田局長の想いと、祭りではなく日常になるアートがあってほしいという著者の願いが重なり、継続することに

2014

2　メディアでの紹介をきっかけに、第一、第三土曜日の開局が決定
（中田局長のご厚意により）

5　「おはよう日本」（NHK）で特集される

2014年5月
手紙総数2,000通
を超える

10　漂流郵便局　秋開局　イベント開催
「あさチャン！」（TBS）番組内で特集される

2015

2　書籍『漂流郵便局』（小学館）出版

2015年3月
手紙総数5,000通
を超える

10　漂流郵便局　秋開局　イベント開催

12　書籍『漂流郵便局』が宮脇書店「ミヤボン2015」ノミネート

2015年11月
手紙総数10,000通
を超える

2016

2　イギリス、ロンドンに英国漂流郵便局の分局開設（大和日英基金）

3　イギリス、バーミンガムにて英国漂流郵便局の分局開設（Ikon gallery）
イギリスのＢＢＣ放送に英国漂流郵便局長ブライアン・ペイン氏と、著者が出演

6　書籍『漂流郵便局』台湾版出版

7　「あさイチ」（ＮＨＫ）で特集される

10　瀬戸内国際芸術祭・秋会期で開局。ブライアン・ペイン氏が粟島を訪れ、日英漂流郵便局交流イベント開催

2017

11　雑誌『月刊文藝春秋』12月号で紹介される

2018

5　読売新聞夕刊で、全10回にわたり特集される

6　漂流郵便局をモチーフとした舞台「ペーパームーン」、劇団民藝により上演

2019

1　イギリスの新聞ガーディアン（The Guardian）にて紹介される

3　「クールジャパン」（ＮＨＫ）にてベストオブクール受賞

2020

2　漫画雑誌『月刊フラワーズ』連載の田村由美「ミステリと言う勿れ」に漂流郵便局が登場（田村先生は２０１９年11月に粟島を訪れ、取材）

4　書籍『漂流郵便局　お母さんへ』出版

２０１６年７月　手紙総数１５，０００通を超える

２０１６年12月　手紙総数２０，０００通を超える

２０１８年６月　手紙総数３０，０００通を超える

２０１９年５月　手紙総数３５，０００通を超える

２０２０年３月末　手紙総数４０，０００通を超える

INFORMATION

いつかのどこかのだれか宛の手紙を「出したい」方は

いつかのどこかのだれか宛に手紙を出したい方は
以下をご了承いただき、
下記の方法で漂流郵便局までお送りください。

1　送っていただいた手紙のご返却はできません。
2　手紙の著作権は「漂流郵便局」（制作者・久保田沙耶）に譲渡していただきます。
3　差出人様のご住所は不要です。

以上をご了承いただける方は、
はがきに切手を貼って
右記住所までお送りください。

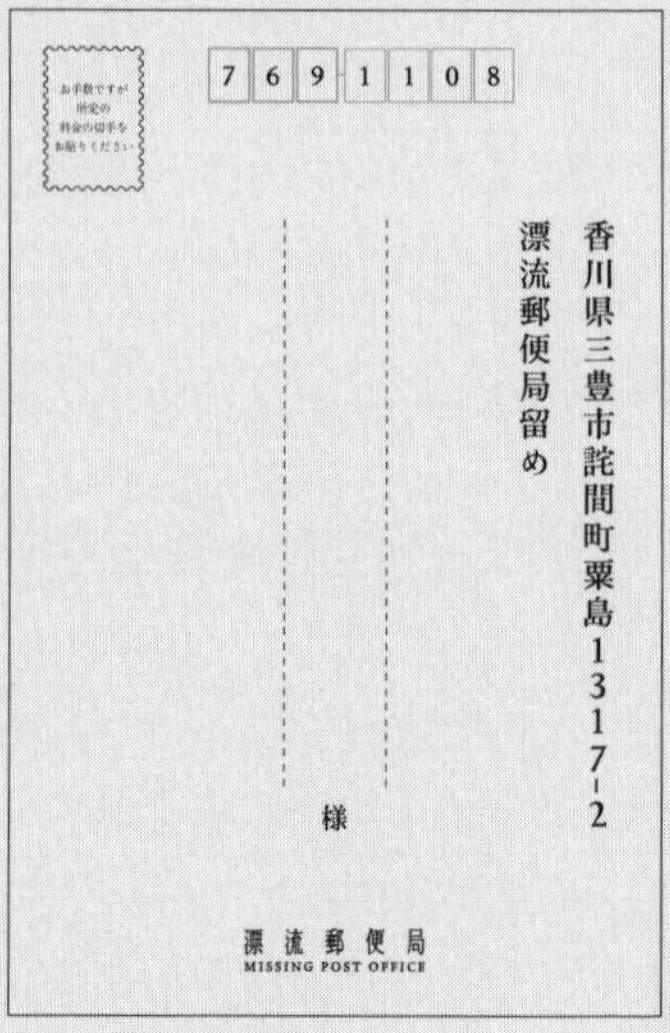

漂流郵便局に直接投函
することもできます。
営業時間内は窓口まで、
それ以外は入り口左側の
「郵便受け」にお入れください。

※巻末の本書限定オリジナルはがきも
ご利用ください。

いつかのどこかのだれか宛の手紙を

「読みたい」方は

いつかのどこかのだれか宛の手紙を読みたい方は
営業時間内に漂流郵便局までお越しください。
詳しい開局日、時間に関しましては
三豊市観光交流局のホームページをご覧ください。

http://www.mitoyo-kanko.com/awashimaisland/

郵便局への行き方

詫間駅まで

JR 岡山駅→JR 詫間駅
JR 特急で約60分

JR 高松駅→JR 詫間駅
JR 快速で約50分

JR 詫間駅⇔須田港

コミュニティバス・平日１時間に１本程度

須田港⇔粟島港

粟島汽船・１日８便

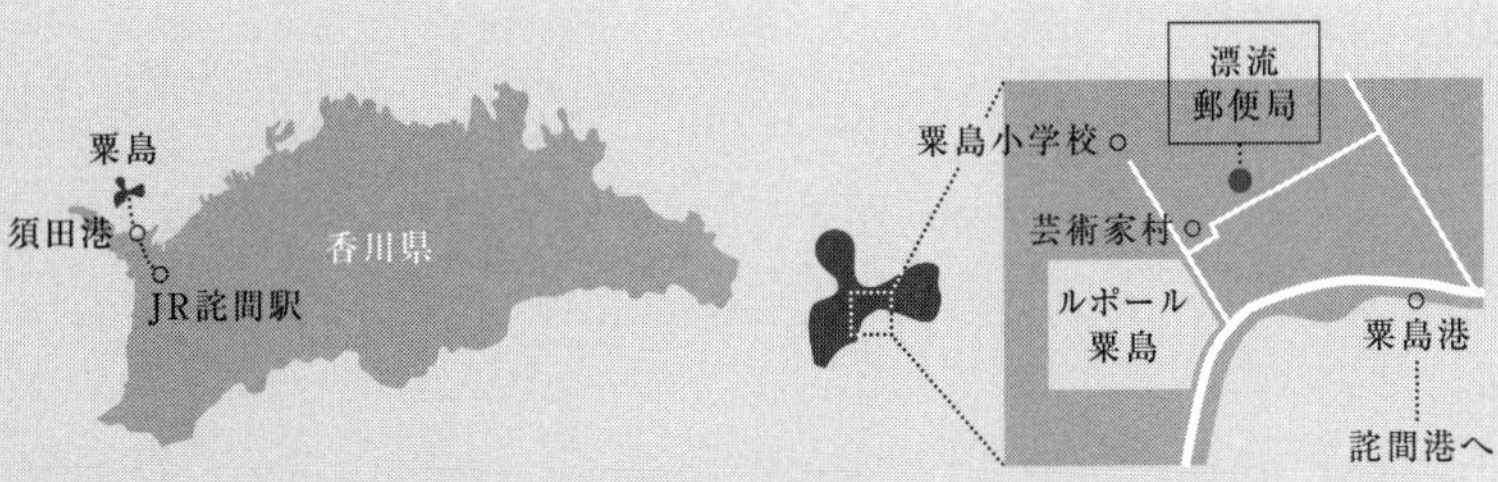

詳しくは三豊市観光交流局ホームページにて
http://www.mitoyo-kanko.com/

おわりに

あわのいのち

久保田沙耶

「こどものころからさ、海から泡が出たから『あわしま』っていうんだと思ってるんだよね」

これまで聞いてきた諸説ある粟島の名前の由来のなかでも最もお気に入りのお話。これは漂流郵便局の制作中、海ぎわでたまたま居合わせた島民のおじさんから聞きました。そのとき彼はワンカップ片手に赤ら顔だった、という状況が状況なだけに話の信憑性はかなり低いけれども、できる限り信じてみたいと思ったのにはいくつか理由があります。

実はわたしも粟島ちかくの海からかつて泡がでていたのではないかと思っているのです。もともと粟島は三つの島が漂流物の堆積によってつながり、このようなスクリュー型の不思議な形になりました。地形の成り立ちを辿ってみると、潮の流れがぶつかる位置に粟島があります。潮の流れがぶつかるところには潮目というものが現れやすく、それを泡目ともいうそうで、泡や漂流物が集まります。海水のぶつかりあいによって積層された漂流物の地層の上に建っている漂流郵便局は、ぽつりとひと粒《つぶ》取り残された泡のようにも見えるのでした。

この泡のエピソードのことを考えると、とある古い図鑑に描かれていた「いのちのはじまりかた」という大好きな物語を思い出さずにはいられません。原始の海は命のスープと例えられるほどに有機物がたっぷり含まれていましたが、しばらく命は誕生しなかったそうです。しかし激しい波に繰り返しもまれることによって泡のようなものが発生し、それはのちにそれぞれの命を区切る膜の役割を果たすことになります。周囲のものを吸収したり、化学反応や代謝を引き起こすことで、とうとう細胞の原型がうまれ、泡という境界線によってはじめてひとつの命が誕生した、という物語でした。

泡をひとつの命ととらえてみる。街ゆく人びとが泡つぶに見えてくるとなんだか不思議な気持ちになります。そのうち、わたしとあなたの間にある境界線はどこにあるのかということを考えてみたくなりました。

まず物理的には皮膚だろう、そして精神的には名前だろうか。もともとわたしとあなたは別々です、というしるしをかかげて皮膚と名前がある。これらふたつはとても似ていて、つまり物理的に「分けること＝皮膚」と精神的に「分かること＝名前」は、ほぼ同じなのではないかと思い至りました。

コミュニケーションにおいても同じようなことが起こっているような気がします。例えば、わたし自身も経験したことのある恋人との喧嘩の言葉、「分かった、分かった」。コミュニケーションはもう瑞々《みずみず》しく続かない、断絶のしるしです。分からないとはいえない。分かってもらえないことに耐えられない。わたしたちはときどき分かったふりをしてお互いの境界線をおろしわかれていきます。

分からないことをそのまま引き受けるということはこわいことでもあります。けれども、わたしたちの体と心は常に動的で曖昧で、本来とても分かりにくいのです。わたしたちはより安心して暮らすために、分かりやすく土地を区切ったり、時代を分けたり、こどもに名前をつけたり、墓石を立てたりするのかもしれません。しかしそのように色々な物事を分化すればするほど、曖昧で動的なものも同時に失われていくことのおそろしさも、わたしたちはどこかで気がついているのではないでしょうか。死を理解することがむずかしいように、生きることもまた理解するのはむずかしいのです。

栗島の波打ち際を歩いていると砂浜にこんもりと泡が流れ着いていました。手のひらいっぱいに泡をすくうと、じわじわとはじけて海水に戻っていき、シワのすみずみに川のように水が落ちては皮膚の隆起が海や陸のようになっていくので、うっとりしていました。そのとき手のひらはひとつの地形になって、はじけていく泡は命そのものでした。山も海も川も、地球の一枚皮の小さな凸凹に過ぎず、なにも分かれてはいないのに全部に名前がついている。あらためて考えるとこれはとても不思議なことです。もともとわたしたちは境界線がなければみんな命のスープでした。一世紀後、おそらくわたしもあなたももうこの世にはいません。皮膚もなく、名前もなく、境界線もない。それでも波打ち際は動きつづけ泡はいつでもたちあらわれて、届け先のわからない手紙も増え続ける。そうやって手のひらで踊る泡の姿や、命のはじまりとおわりになんの説明がいるのでしょうか。

理解を目的とすることだけがコミュニケーションではないのでしょう。であるならば、そうではない在り方がもっとたくさんあったほうがいい。情報伝達においてたくさんの異なる方法が共存する新しい時代を生きているわたしたちにとって、漂流郵便局の中で垣間見《かいまみ》える様々なコミュニケーションへの試みは尊い営みにちがいありません。

２０２０年４月

謝辞

漂流郵便局に手紙をお寄せくださった皆様に深謝いたします。
また本書の実現、ならびにこれまでの作品制作において、
以下の方々、機関から多大なご協力を賜りました。厚く御礼申し上げます。

粟島のみなさま／石井紫／稲井敦子／稲嶋正彦／入江慶子／上野有里紗／内海健／遠藤学／大江千寿／大澤紗蓉子／奥山理子／小澤洋美／小田大輔／川部洋／川満雄洋／管啓次郎／木田晃一／近藤正勝／権頭真由／佐藤公哉／佐藤ゴウシ／佐藤靖／里田晴穂／杉山青子／鈴木竜一朗／園田空也／田尾朱莉／田尾亜希子／田中美保／徳吉雅人／徳吉美千子／仲倉幸俊／中田勝久／中田家のみなさま／中田八重子／永田康祐／中村絵美／中村慶子／中山晶雄／新村和大／野堀洋子／古川麦／本田江伊子／松島潤平／ミヤケマイ／元田喜伸／山田一平／山田徹／Bryan Payne／Kayano Kondo／Mari Shiba／Mark Dunhill／Sayaka Kondo／Shahanara Begum／Tamiko O'brien／William Donegan

あわろは食堂／壽堂／翠香園　津田茶舗／瀬戸内国際芸術祭／大和日英基金（Daiwa Anglo-Japanese Foundation）／特定非営利活動法人 まちづくり推進隊詫間／トビタテ！留学JAPAN／三豊市観光交流局／三豊市政策部観光交流課／ル・ポール粟島／City & Guilds of London Art School／hPark

（五十音順、敬称略）

久保田沙耶

届け先のわからない手紙、
預かります

漂流郵便局
お母さんへ

2020年4月27日　初版第1刷発行

著　者　　久保田沙耶
発行者　　小澤洋美
発行所　　株式会社小学館
　　　　　〒101-8001　東京都千代田区一ツ橋2-3-1
電　話　　（編集）03-3230-5127　（販売）03-5281-3555
印刷所　　共同印刷株式会社
製本所　　牧製本印刷株式会社

デザイン　　佐藤 靖（OFFS）
イラスト　　久保田沙耶
校閲　　玄冬書林
編集　　田中美保

© Saya Kubota　2020　Printed in Japan
ISBN 978-4-09-388663-5

＊造本には十分注意しておりますが、印刷、製本など製造上の不備などがございましたら「制作局コールセンター」
（フリーダイヤル0120-336-340）にご連絡ください。（電話受付は、土・日・祝休日を除く9：30〜17：30）
＊本書の無断での複写（コピー）、上演、放送等の二次利用、翻案等は、著作権法上の例外を除き禁じられています。
＊本書の電子データ化等の無断複製は著作権法上での例外を除き禁じられています。
代行業者等の第三者による本書の電子的複製も認められておりません。

制作／遠山礼子・星一枝　販売／小菅さやか・椎名靖子
宣伝／野中千織　編集／小澤洋美